ELVIS

Multiplícate

Cómo usar los grupos pequeños para formar,
afirmar y hacer crecer la iglesia

Pacific Press®
Publishing Association

Nampa, Idaho | Oshawa, Ontario, Canada
www.pacificpress.com

Director editorial: Ricardo Bentancur
Redacción: Alfredo Campechano
Diseño de la portada: Gerald Lee Monks
Imágenes de la portada: © iStock Photo
Diseño del interior: Diane Aguirre

El autor se responsabiliza de la exactitud de los datos y textos citados en esta obra.

A no ser que se indique de otra manera, todas las citas de las Sagradas Escrituras están tomadas de la versión Reina-Valera © 1960 Sociedades Bíblicas en América Latina; © renovado 1988 Sociedades Bíblicas Unidas. Utilizada con permiso. Las citas que son seguidas por NVI fueron tomadas de la Santa Biblia, Nueva Versión Internacional®, NVI® copyright © 1999 por Biblica, Inc.®. Utilizada con permiso.

Las citas tomadas de libros escritos por Elena G. de White pueden encontrarse en el sitio en Internet de la *Ellen G. White Estate* [El Patrimonio White], en https://egwwritings.org.

Puede obtener copias adicionales de este libro en www.libreriaadventista.com, o llamando al 1-800-765-6955.

Printed in the United States of America

ISBN: 978-0-8163-9122-6

PUBLICACIONES
ADVENTISTAS DEL 7° DIA

September 2020

Contenido

"Los que están así trabajando según el plan de la adición para obtener las gracias de Cristo, tienen la seguridad de que Dios obrará según el plan de la multiplicación al concederles los dones de su Espíritu"
—Elena G. de White.

Introducción

En la década de 1990, el reconocido investigador cristiano Christian Schwarz realizó una investigación sobre el desarrollo natural de las iglesias. A raíz de su investigación, Schwarz encontró ocho cualidades básicas de una iglesia saludable.

Luego de estudiar a más de 40,000 iglesias en más de 32 países en cinco continentes durante más de dos décadas, Schwarz concluyó que estas son las ocho cualidades de una iglesia saludable: 1) liderazgo capacitador, 2) ministerio según los dones espirituales, 3) espiritualidad ferviente, 4) estructuras funcionales, 5) culto inspirador, 6) grupos integrales, 7) evangelización según las necesidades, y 8) relaciones afectivas.

Vale mencionar que las iglesias que tienen grupos pequeños entran en esta descripción, ya que esta es una de las cualidades de una iglesia saludable. Sin embargo, al desarrollar el ministerio de grupos pequeños, me doy cuenta de que estos no solo ayudan como grupo pequeño en sí, sino que propician el desarrollo de cada una de las cualidades restantes.

En el grupo pequeño los miembros encuentran inspiración, desarrollan su liderazgo, identifican y usan sus dones, y su vida espiritual se torna ferviente. Los grupos son estructuras con alta efectividad de funcionamiento que permiten que sus miembros se desarrollen de manera integral en la vida espiritual, y satisfacen las necesidades de su comunidad desarrollando relaciones afectivas hasta extender una integración sin igual en el seno del grupo. Por esta razón es importante desarrollar de manera saludable un ministerio eficaz de grupos pequeños en nuestras iglesias.

El objetivo de este libro no es dictar un método único y correcto para desarrollar grupos pequeños de estudio de la Biblia y testificación; más bien busca plantear algunas ideas y recursos que permitan el desarrollo y la multiplicación de grupos pequeños saludables en nuestras congregaciones. Por esta razón, hemos organizado el material presentado en las cuatro etapas de vida de un grupo pequeño, entendiendo que el desarrollo de cada etapa llevará al grupo hasta su multiplicación. Es nuestro objetivo acompañarte mediante un estilo descriptivo ascendente por las etapas de la vida del grupo: 1) formación, 2) afirmación, 3) enfoque, y 4) multiplicación. Acompáñanos en esta maravillosa aventura y multiplícate en grupos pequeños saludables.

Nota: A lo largo de este libro, las siglas GPS significan "grupo pequeño saludable", o solo "grupo pequeño".

Formación

COMPRENSIÓN – VISIÓN – APLICACIÓN

*Esta etapa se vive durante las primeras reuniones.
Los miembros del grupo se están acostumbrando unos
a otros y experimentan la emoción de estar unidos, trazando
objetivos en común.*

CAPÍTULO 1

Comprensión

¿Por qué formar grupos pequeños?

Iniciemos el recorrido y desarrollemos grupos pequeños saludables. Recuerdo aquel día cuando, según el criterio de un estudiante que desea una buena calificación, realicé una excelente exposición. Había expuesto los pasos para organizar la iglesia para el crecimiento, incluso tomé en cuenta algunos puntos extras a los requerimientos de la asignación, entendiendo que con todo esto dejaría deslumbrado al profesor. Después de terminar y de unos 'eternos segundos' de espera, el profesor observó:

"Muy buena presentación. Entendí cada punto —dijo, como preámbulo para el temible "pero"—, pero lo que no puedo entender es por qué debo organizar mi congregación en grupos pequeños saludables".

Ese día me quedó claro que para estar convencido del *cómo*, primero hay que estar enamorado de los *porqué*.

De manera breve, déjame presentarte las dos principales razones por las que estoy convencido de que nuestras iglesias deben ser organizadas en grupos pequeños saludables (GPS).

1. Porque proveen desarrollo y crecimiento a nuestras congregaciones.
2. Porque permiten el cumplimiento de la misión y el crecimiento espiritual.

MULTIPLÍCATE

Los GPS proveen desarrollo y crecimiento

Jesús inició su ministerio formando un grupo pequeño. "Después subió al monte, y llamó a sí a los que él quiso; y vinieron a él" (Marcos 3:13). En su voluntad y preeminencia, Jesús escogió a doce discípulos. Marcos dice: "Y estableció a doce, para que estuviesen con él, y para enviarlos a predicar" (Marcos 3:14). Jesús se valió de un grupo pequeño en el que formó a sus discípulos para el establecimiento de su iglesia.

Fue el entorno diseñado por Dios para la iglesia primitiva. La arqueología confirma que en los tres primeros siglos, el lugar de reunión de los cristianos fueron casas particulares, no edificios eclesiásticos destinados al culto.[1] Pablo se refiere a "la iglesia de la casa", es decir, a grupos de creyentes que se reunían en una casa particular (ver Romanos 16:5, 14, 15; 1 Corintios 16:19; Colosenses 4:15; Filipenses 4:22).

Las reuniones en las casas fueron la cultura organizacional de la iglesia primitiva durante sus primeros trescientos años. Estas citas bíblicas lo demuestran:

- Hechos 12:12: "Habiendo considerado esto, llegó a casa de María la madre de Juan, el que tenía por sobrenombre Marcos, donde muchos estaban reunidos orando".
- Hechos 20:20: "Nada que fuese útil he rehuido de anunciaros y enseñaros, públicamente y por las casas".
- Romanos 16:3-5: "Saludad a Priscila y a Aquila, mis colaboradores en Cristo Jesús... Saludad también a la iglesia de su casa".
- 1 Corintios 16:19: "Las iglesias de Asia os saludan. Aquila y Priscila, con la iglesia que está en su casa, os saludan mucho en el Señor.
- Colosenses 4:15: "Saludad a los hermanos que están en Laodicea, y a Ninfas y a la iglesia que está en su casa".
- Filemón 2: "A la amada hermana Apia, y a Arquipo nuestro compañero de milicia, y a la iglesia que está en tu casa".

Comprensión

Provee una mejor organización para el trabajo en favor de las almas.
"Si hay muchos miembros en la iglesia, organícense en pequeños grupos para trabajar no solo por los miembros de la iglesia, sino en favor de los incrédulos. Si en algún lugar hay solamente dos o tres que conocen la verdad, organícense en un grupo de obreros".[2]

Fue el método usado en Israel para proveer una solución administrativa para el desarrollo de los procesos y la atención personalizada de los miembros. Jetro, el suegro de Moisés, fue a visitarlo, y observó que Moisés era quien atendía todos los problemas del pueblo. Así que le recomendó dividir al pueblo en grupos de mil, de cien, de cincuenta y de diez, y que les asignara jefes; estos, a su vez, se harían responsables de su grupo. Como ayuda directa de Moisés, Jetro sugirió escoger a setenta ancianos; de esta forma el trabajo sería más productivo, enfocado y eficiente (ver Éxodo 18:13-27).

Los GPS permiten el cumplimiento de la misión y el crecimiento espiritual

Son una agencia ganadora de almas. "La presentación de Cristo en la familia, en el hogar o en pequeñas reuniones en casas particulares, gana a menudo más almas para Jesús que los sermones predicados al aire libre, a la muchedumbre agitada o aun en salones o capillas".[3]

Proporcionan una estrategia misionera para llevar el evangelio a las grandes ciudades. "En [las ciudades] debería haber varios pequeños grupos establecidos, y deben enviarse obreros allí. El hecho de que un hombre no esté ordenado como predicador no significa que él no puede trabajar para Dios. Enséñese a los tales cómo trabajar, y entonces permítase que vayan a hacer la obra. Al regresar, cuenten ellos lo que han hecho. Alaben al Señor por sus bendiciones, y vayan de nuevo otra vez. Anímeselos. Unas pocas palabras de estímulo serán una inspiración para ellos".[4]

Incentivan el trabajo misionero en favor de la comunidad. "Haya en cada iglesia grupos bien organizados de obreros que trabajen en el vecindario de la misma... Organícense nuestras iglesias en grupos para servir. Únanse diferentes personas para trabajar como pescadores de hombres".[5]

Promueven el crecimiento espiritual. "Quiero animar a los que se reúnen en grupos pequeños a adorar a Dios. Hermanos y hermanas, no os sintáis desanimados porque sois pocos en número. El árbol, que se sostiene solo en la llanura, esparce sus raíces más profundamente en la tierra, envía sus ramas con más amplitud en todas direcciones, y se desarrolla más fuerte y simétrico mientras él solo combate contra la tempestad y se regocija con la luz del sol. Así el cristiano, cuando no tiene el apoyo de la dependencia terrenal, puede aprender a confiar en Dios y puede ganar fuerza y valor con todo conflicto".[6]

Una metodología presentada por Dios. "La formación de grupos pequeños como base del esfuerzo cristiano me ha sido presentada por Uno que no puede errar. Si hay muchos miembros de la iglesia, organícense en grupos pequeños para trabajar no solo por los miembros de la iglesia, sino también a favor de los incrédulos. Si en algún lugar hay solamente dos o tres que conocen la verdad, organícense en un grupo misionero. Mantengan íntimo su vínculo de unión, cerrando sus filas por el amor y la unidad, estimulándose unos a otros para progresar y adquiriendo cada uno valor, fortaleza y ayuda de los demás".[7]

1. George Eldon Landd, *Teología del Nuevo Testamento*, (Barcelona: Editorial Clie, 2002), pp. 700 -701.
2. Elena G. de White, *Servicio cristiano*, p. 92.
3. *Ibíd.*, p. 153.
4. Elena G. de White, *Notas biográficas de Elena G. de White*, pp. 421, 422.
5. White, *Servicio cristiano.*, p. 92.
6. White, *Notas biográficas*, pp. 286, 287.
7. Elena G. de White, *El ministerio de la bondad*, p. 112.

Capítulo 2

Visión

Abrázala, contágiate con ella y entrégala.

Aún recuerdo aquella mañana de otoño. Preocupado, llegué a la iglesia del faro, un edificio con una capacidad que triplicaba nuestra feligresía, entré y me paré detrás del púlpito. Cerré los ojos y le pedí a Dios que me permitiera ver lo que él veía para aquella iglesia, pequeña, y con una mayoría de miembros de la tercera edad. Aquel día sentí un deseo profundo de ver una iglesia multiplicándose, amando a Dios, viviendo una sana conexión unos con otros, y sirviendo a la comunidad en grupos pequeños.

Abracé la visión y la transmití a un grupo de doce líderes. Iniciamos con dos grupos y una membresía de menos de treinta personas, y en menos de dos años teníamos doce grupos pequeños con poco más de doscientas personas. Ese tiempo se convirtió en uno de los mayores desafíos de mi vida, pero también en uno de las épocas más gratificantes. Te voy a compartir las principales ideas y los pasos prácticos que realizamos para organizar nuestra iglesia en grupos pequeños.

Visión divina

Pídele a Dios que te muestre su sueño para la iglesia. La visión de Dios siempre es mayor que la nuestra, y él está dispuesto a entregarla a sus hijos fieles. Dios tiene planes especiales para nuestro ministerio y para nuestras iglesias. Tiene una visión de esperanza y bendición para su iglesia (Jeremías 29:11).

Determina el potencial de la congregación:

- ¿Cuántos grupos pequeños deseas desarrollar?
- ¿Cuáles son las metas de multiplicación?
- ¿Cuál es el público que deseas alcanzar?
- ¿En qué iglesia te quieres convertir?

Conocí a un excelente pastor que me dijo: "Los recursos, todos ellos, fluyen hacia la visión". En ese momento entendí que la visión es el eje en que gira todo lo que hacemos como iglesia. Por esto Juan Wagenveld afirma que "cuando todos los departamentos funcionan al máximo dentro de la visión y los propósitos de la iglesia, ocurre el proceso de transformación de vidas".[1]

Nuestra visión de iglesia debe estar conducida en comunidades de grupos pequeños saludables. Cuando esto ocurre, el proceso es sostenible y transformador. Los grupos pequeños saludables (GPS) no pueden ser una opción más del bufé de actividades que realizamos o un evento aislado como preparación para una campaña, sino que deben ser nuestra estructura que viabiliza nuestra visión de iglesia.

Considero importante entender que la fortaleza de nuestra iglesia a través de los años es tener clara la simbiosis entre su teología, su organización y su misión. Aunque en muchas ocasiones solemos perder el sentido, es relevante comprender que Dios levantó la Iglesia Adventista del Séptimo Día como un movimiento profético e inspiró su teología, para que esta impulsara su misión, y la organización hace posible que la misión sea realizada. En este sentido, Jere Patzer afirmó que "tanto nuestra teología como nuestra organización están a la disposición de nuestra misión".[2] No entender esto es poseer una visión limitada de lo que Dios quiere hacer con su iglesia por medio de los grupos pequeños.

Comprométete con la visión

El pastor, los ancianos y la junta directiva de la iglesia están obligados a vivir un compromiso con la visión. Si los líderes visibles de la iglesia no internalizan la visión, la congregación nunca la hará suya. La Escritura afirma en Proverbios 29:18 que "donde no hay visión, el pueblo se extravía" (NVI). La iglesia sin visión es ciega, conforme e inerte. Cuando no hay un compromiso con la visión de Dios, la iglesia se estanca y entra en un conformismo religioso. Existen varias características que nos ayudan a identificar una iglesia estancada y con poca o ninguna visión. Aquí te mencionaré algunas de ellas:

1. Vive de las victorias del pasado.
2. Se mantiene cerrada a las nuevas generaciones y su creatividad contemporánea.
3. Está ocupada, pero no es funcional, porque no impacta de manera transformacional a nadie.
4. Siempre está pendiente de lo urgente y nunca de lo importante, pues no sabe con certeza qué es lo importante.
5. Sus calendarios están llenos de actividades, pero sin ningún objetivo claro.
6. Desarrolla muchos eventos y ningún proceso.
7. Todos se conocen y están tan cómodos con eso que, inconscientemente, crean estrategias para permanecer así.
8. Sus jóvenes se van al llegar a la adolescencia o la juventud.
9. Su liderazgo está controlado por las mismas personas.
10. Cree que la juventud es una debilidad.

Iglesia con grupos o iglesia de grupos pequeños

No es fácil plantar y mantener una visión. He visto cómo los grupos que organizaba se deshacían y tenía que organizarlos una y otra vez. En mis primeros años de ministerio, en el sur de Nueva Jersey, organizaba la iglesia en grupos con la finalidad de preparar el terreno para evangelizar o simplemente para estudiar algún material de discipulado. Entendía que luego debía dejarlos descansar para que el evento continuara atrayendo. Gracias a Dios por el amor y la paciencia de los hermanos que seguían mis locuras, y ahí andaban organizando los grupos una y hasta dos veces por año.

Mi grave error fue pensar que los grupos pequeños eran un evento o un ministerio más en la estructura de iglesia. Tenía las manos llenas todo el tiempo, me gastaba en la primera etapa de formación, sin nunca llegar a la multiplicación. Larry Stockstill, en su libro *La iglesia celular*, establece una diferencia entre la iglesia *con* grupos y las iglesias *de* grupos.[3] Las iglesias *con* grupos pequeños son descritas como una congregación que se alimenta de programas y eventos, actividades que intentan mantener al miembro de la iglesia ocupado y distraído. Pero el objetivo principal de toda iglesia que trabaja sobre la base de los grupos pequeños es tener una estrategia de trabajo, al que se subordinarán todos los programas y eventos aislados. El mayor énfasis en el liderazgo de una iglesia debe estar en la capacitación de los líderes laicos y en la concientización de todos los miembros respecto de la importancia de la estrategia misionera.

Cuando los grupos son parte de la estructura de la iglesia, se convierten en el canal para:

- Hacer llegar la información a los miembros de la iglesia.
- El crecimiento espiritual de los integrantes de la congregación.
- Desarrollar el perfil de discipulado en cada creyente.
- Desarrollar ministerios según los dones espirituales de cada uno.
- Llegar a los no creyentes.

Tan importante es tener la visión como perseguirla. Uno de los mayores desafíos es mantener el enfoque congregacional en los objetivos. En muchas ocasiones tenemos que despojarnos de actividades que no son malas, pero que no aportan a la visión. En otros casos hay que reestructurar, reemplazar y añadir. Así que:

Visión

- Enfócate en la visión y no tengas miedo de pagar el precio.
- Entrega los minutos misioneros los sábados a los grupos pequeños.

1. Juan Wagenveld, *Iglecrecimiento integral* (Miami, FL: Editorial Unilit, 2000), p. 77.
2. Jere Patzer, *The Road Ahead,* (Boise, ID: Pacific Press, 2003) p. 14.
3. Larry Stockstill, *La iglesia celular* (Miami: Editorial Caribe, 2000), pp. 32, 33.

CAPÍTULO 3

Aplicación

Llevando la teoría a la práctica

Tener claro el *porqué* nos lleva al *cómo*. Sin el *cómo*, todo queda en un sueño sin realizar. La visión de Dios debe pasar a ser realizada en nuestra iglesia local. En este capítulo evaluaremos algunas ideas prácticas que pueden ser de utilidad para desarrollar nuestro plan de acción para el desarrollo de grupos pequeños saludables en nuestras iglesias.

Entrega la visión

Inicia un plan de oración pidiendo a Dios que te muestre un grupo de personas para comenzar a plantearles la visión. Comienza a observar futuros líderes, anfitriones, maestros, secretarios; visualiza tu equipo de trabajo. Luego haz una lista con sus nombres, dirección y número de teléfono.

- Elabora un plan de visitación para esa lista de personas.
- Diles que estás orando por ellos y que forman parte de un plan especial para el desarrollo de su iglesia.
- Realiza una reunión especial con ellos y preséntales la visión. Procura que esta reunión tenga un toque social e informal, incluye una comida o algún postre. Asegúrate de que sea una reunión agradable, en la que los participantes tengan una experiencia inolvidable.

Aplicación

- Invítalos a reclutar a otros, para pasarles la visión que ahora no solo es del líder sino suya también.

Agota una serie de reuniones de instrucciones e inspiración. La cultura organizacional de la congregación dictará el tiempo necesario para la transmisión de la visión.

Convoca una reunión administrativa

Realiza una junta administrativa solo para analizar y aprobar un plan de multiplicación y crecimiento. Sueñen juntos con la iglesia que Dios desea y con la bendición que pueden ser para su comunidad.

- *Haz un llamado solicitando líderes de grupos:* Muchos líderes escogen ellos mismos a los líderes; sin embargo, al motivarlos y permitir que ellos decidan, abrimos una oportunidad para que Jesús mismo los impresione y los llame a su servicio. El compromiso será mayor, ya que ellos decidieron involucrarse en la tarea.
- *Solicita hogares para realizar las reuniones:* Familias muy amables dispondrán sus hogares para las reuniones de grupos.

A veces tenemos miedo de invitar a los miembros de iglesia y compartir el trabajo con ellos, pero la verdad es que cuando no se le invita ni se le delega la responsabilidad de trabajar por Dios, la iglesia se marchita. Elena G. de White lo afirma cuando dice: "Las iglesias se están marchitando porque no han empleado sus talentos en difundir la luz... Los que tienen la vigilancia de las iglesias deben elegir a miembros capaces, y encargarles responsabilidades, al mismo tiempo que les dan instrucciones acerca de cómo pueden servir y beneficiar mejor a otros".[1]

Con toda claridad se nos llama a elegir, encargar y entrenar. Cuando los elegimos los diferenciamos, al encargarlos los empoderamos, pero cuando los entrenamos los desarrollamos. Recuerda: elige, encarga y entrena.

Entrena al equipo

Realiza un plan estratégico de entrenamiento con los líderes. Enséñales los detalles de la visión. Instrúyelos sobre cómo formar grupos pequeños. Estos son algunos temas que puedes tratar:

1. La visión de multiplicación.
2. El llamado al servicio.
3. Los modelos y estilos de liderazgo.
4. El contenido de este libro.

El espíritu de profecía nos desafía a organizar la iglesia para el trabajo y a enseñarla a hacerlo con dedicación: "Tan pronto como se organice una iglesia, ponga el ministro a los miembros a trabajar. Necesitarán que se les enseñe cómo trabajar con éxito. Dedique el ministro más de su tiempo a educar que a predicar. Enseñe a la gente a dar a otros el conocimiento que recibieron".[2]

Con toda seguridad podemos decir que el éxito tiene mucho que ver con el aprendizaje. Lo que aprendemos determina nuestra manera de pensar, y esta establece nuestras acciones. Dedica el tiempo que haga falta para entrenar al equipo que Dios te ha entregado para logar su visión.

Dale forma al grupo

Una vez que tengas los líderes y los hogares, ve conformando los grupos mientras los entrenas. Toma en cuenta las siguientes sugerencias:

- Asegúrate de que los miembros se unan al grupo por motivación, no por imposición.

Aplicación

- Motiva a los líderes a conquistar a sus miembros. Es bueno tomar en cuenta los siguientes aspectos:
  - La ubicación geográfica de los hermanos con relación al hogar de reunión.
  - Número de miembros: entre tres y doce personas.
- Que cada grupo escoja su día de reunión.
  - Puede ser un voto general de la iglesia respecto al día de reunión.
  - Es muy importante que cada grupo sea creado de acuerdo con las posibilidades de sus miembros.
  - No es malo si cada grupo escoge un día diferente.
  - Es recomendable que el día de la reunión del grupo no sea el sábado.
- Reunirse durante la semana da la oportunidad de entrar en conexión congregacional en un intervalo de tiempo más seguido. Esto hace que la motivación espiritual sea mayor.

Cada grupo crea su propia identidad

La identidad nos da sentido, pues, así como a cualquier ser humano le es necesario crear una identidad propia que fortalezca su autoestima y desarrolle su razón de ser, de igual manera el GPS debe crear una identidad propia, que le dé sentido a su existencia. Para lograr este sentido de identidad en el grupo te mencionaré algunas ideas básicas:

Nombre del grupo pequeño: Utilicen un nombre bíblico o alusivo al sentido del grupo. Sin embargo, debemos notar que mientras más identificado está el grupo con el compromiso de atraer a otros tratará de enfocar este sentir hasta en el nombre que se escoge. En muchos casos es mejor identificar al grupo con un nombre con el que puedan ser identificados por los no creyentes, de tal manera que llame su atención. En ocasiones, cuando usamos nombres comunes en nuestra cultura de iglesia, ese nombre mismo logra conectarla con los no creyentes.

Nombres con identidad religiosa	Nombres con identidad genérica
Salvación	Alegría
Centinelas	Sonríe
Discípulos de Cristo	Risas
El remanente	Gozo
Fuerte pregón	Renacer
Cosecha	Nuevo amanecer
Soldados de Cristo	Águilas
Éfeso	Halcones
Apocalipsis	Conectados

Si usted nota, los nombres con identidad genérica pueden conectar con facilidad con los no creyentes. Esto pudiera parecer incómodo para algunos, pero cuando estamos enfocados en una misión clara de alcanzar a otros, entenderemos que la función de las estructuras es simplemente servir a la misión.

Imagina que invitas a alguien que no es miembro de iglesia a visitar tu grupo y al llegar le dicen: "Bienvenido al grupo 'Fuerte pregón'". Para un miembro de iglesia, este nombre es muy significativo, alude a una responsabilidad sin igual, aquel que da un mensaje decisivo. Pero el amigo que invitaste no lo entenderá y aun se sentirá extraño con ese nombre. Imagina ahora que le dices: "Bienvenido al grupo Alegría". De inmediato reconocerá este nombre, y lo conectará, y entenderá que ahí encontrará alegría.

Banderín o emblema del grupo pequeño: Una imagen que identifique al grupo. Soy un ferviente partidario de los banderines tipo clubes de fútbol (*soccer*), ya que este deporte es un lenguaje universal y apasionante.

Grito o eslogan: Este eslogan identificará al grupo, pues describirá su sentido de existencia como GPS.

Cualquier otra cosa que motive la identidad del grupo: A muchos grupos les gusta hacer camisetas o gorras, entre otras cosas. La idea es procurar todo aquello que traiga unidad e identidad al grupo.

Aplicación

Inauguración de los grupos: Este día debe ser una ceremonia de dedicación del líder, de su directiva, y del grupo completo. Aquí el pastor y los ancianos pueden aprovechar para reafirmar la visión de la iglesia en cada miembro del grupo. Esto se puede hacer firmando una especia de pacto o compromiso congregacional.

- Escojan juntos una fecha para la inauguración de los grupos.
- Ese día se realiza un desfile de grupos con sus banderines.
- Se presenta cada grupo pequeño ante toda la congregación.
- Realiza una magna celebración ese día.

La lección para la discusión o momento de la palabra

Desarrolla un currículo de lecciones para las discusiones en grupo que responda a las necesidades de la iglesia. En muchos casos, los campos locales proveen lecciones para el estudio en los grupos pequeños.

---

1. Elena G. de White, *Consejos para la iglesia*, p. 65, 122.

2. *Ibíd.*, p. 123.

RECOMENDACIONES:
ETAPA DE FORMACIÓN

Esta primera etapa de formación es consumidora, por el arduo trabajo que conlleva. Entregar la visión y formar a otros no es fácil, requiere tiempo y esfuerzo planificado. Sin embargo, es una de las etapas más gratificantes y emocionantes, ya que la visión es como el césped; cuesta preparar el terreno para plantarlo, pero una vez que este se arraiga en la tierra previamente preparada, se adueña del suelo e invade todo lo que está a su alrededor. En esta etapa, los miembros disfrutarán la convivencia. Las presentaciones de GPS en las iglesias serán una fiesta espiritual. En esta etapa vivirás la "fiebre del GPS".

En esta etapa de formación de tu GPS:

- Concéntrate en la convivencia del grupo, de manera que los miembros se unan y se conozcan.
- Busca que el grupo cree lazos relacionales.
- Comparte la visión de multiplicación con el grupo.
- Establece las metas del grupo, y procura que sean medibles y comprensibles.
- Establece un día, un horario y una localidad fija de reunión.

El líder debe estar consciente de que esta etapa es un modelo para los miembros. El hecho de superar esta etapa le dará al grupo solidez y permanencia, y estará listo para agotar la siguiente etapa del proceso de multiplicación del GPS.

ETAPA II

Afirmación

COMPROMISO – COMPAÑERISMO – MADUREZ

*En esta etapa el grupo alcanza la formación
de su cultura, estableciendo sus normas y límites,
basado en la aceptación de cada uno.*

Capítulo 4

Compromiso

Desarrollando y afirmando compromisos
a través de las reuniones del grupo pequeño saludable.

Después de la fiebre de la formación llega el momento del establecimiento. Esta etapa es crucial, ya que la mayoría de los grupos pequeños dejan de existir cuando llegan a este momento. En este nivel de desarrollo el grupo experimentará los desafíos propios de conocerse unos a otros. Ahora los miembros del grupo experimentan conflictos y confrontaciones. En esta etapa el grupo alcanza la formación de su cultura, estableciendo sus normas y límites basado en la aceptación de cada uno. En esta parte del proceso, muchos grupos se deshacen por los conflictos y el desánimo.

Hay una frase trillada que resuena en muchas de nuestras congregaciones: "Los grupos pequeños aquí no funcionan; lo hemos intentado antes y terminan desbaratándose". Sobreviven la primera etapa de euforia y el romance de la formación. Pero, como todo en la vida, una visión de crecimiento y desarrollo tiene un costo, y la perseverancia es la mejor moneda de cambio.

Para lograr desarrollar esta etapa del proceso, debemos impulsar en el grupo el logro de una madurez espiritual genuina, un compromiso congregacional incondicional, y compañerismo sólido. Para lograr esto, es muy importante darle forma a la estructura del grupo pequeño, desarrollar buenas reuniones, y rendir cuentas junto a otros líderes, de tal manera que se cree una atmósfera de victoria y crecimiento.

MULTIPLÍCATE

En esta etapa es imperativo manejar con desenvolvimiento las reuniones del GPS, de tal manera que marquen una diferencia en la vida de los miembros. Las reuniones no pueden consistir en un culto de oración y testimonio, menos en un sermón o repaso de la lección. Miremos juntos cómo desarrollar reuniones que sean un espacio de crecimiento y ministración mutua.

La reunión del grupo pequeño

La reunión del grupo tiene un triple objetivo: 1) Relacionar a cada uno de los miembros con Dios, 2) establecer relaciones sanas unos con otros, y 3) alcanzar a aquellos que no conocen a Jesús. Las reuniones dan identidad a los miembros y satisfacen la necesidad de comunidad relacional de quienes participan, lo que no se puede obtener con la misma intensidad en una reunión congregacional donde asiste toda la feligresía.

Beneficios de la reunión del grupo pequeño

Las reuniones de grupos pequeños "cara a cara" ofrecen una serie de beneficios:

1. *Identidad colectiva:* Las reuniones en grupos pequeños dan identidad al grupo, creando y fortaleciendo la unidad de sus miembros.
2. *Crecimiento integral:* El momento de la reunión es un espacio favorable para el crecimiento espiritual. Durante ese tiempo los miembros tienen la experiencia de participar en una discusión sana y fluida. Esta experiencia y los enfoques diversos crean un ambiente favorable para el desarrollo relacional. Las reuniones de grupos pequeños se convierten en una fábrica de mejores ideas que terminan ayudando a todos, y así van creciendo juntos.
3. *Un antídoto para el egocentrismo:* Cuando compartes con otros aprendes de sus luchas y de sus victorias. El participante se da cuenta de que el mundo no gira solo a su alrededor, y se abre a nuevas posibilidades.

4. *Compromiso colectivo:* Cuando el miembro del grupo estudia la Biblia de manera interactiva, motivándose a tomar una decisión en el grupo, lo hace ante Dios y frente a todos los presentes. Esta forma de decisión crea un compromiso no solo con Dios, sino también con el grupo.

5. *Desarrollo de dones espirituales:* A cada miembro del grupo pequeño se le han otorgado dones espirituales, y las reuniones de grupos proveen un espacio saludable para que estos dones sean desarrollados.

6. *Evaluación del proceso de discipulado:* El momento de la reunión provee a cada miembro del grupo la oportunidad para evaluar su crecimiento espiritual. Al estudiar las porciones bíblicas, el miembro del grupo no solo adquiere algo, sino que también tiene la oportunidad de evaluar lo que no tiene y necesita.

Es recomendable que las reuniones de grupos pequeños se realicen una vez cada semana. Esto les dará la oportunidad a los miembros de pastorearse unos a otros, cuidarse y cultivar la comunidad cristiana. El reconocido consultor sobre grupos pequeños, Joel Comiskey, sostiene que la reunión del grupo debe tener los siguientes enfoques:

1. *Enfoque ascendente:* Conocer a Dios.
2. *Enfoque interno:* Conocerse los unos a los otros.
3. *Enfoque externo:* Alcanzar a los que no conocen a Jesús.
4. *Enfoque hacia delante:* Preparar nuevos líderes.[1]

Si observamos bien estas características, nos daremos cuenta de que no debemos centralizar las reuniones del grupo en una sola persona o en un solo enfoque. La reunión del grupo debe ser integral, de modo que conecte con Dios, unos con otros, y con los no creyentes, desarrollando el don espiritual de los miembros del grupo. El líder debe ser sensible a la dinámica del grupo, estimular la participación de los miembros, y no dominar por completo las reuniones. La reunión del grupo debe involucrar a todos los presentes.

Conocer a Dios

Conocerse los unos a los otros

Alcanzar a los que no conocen a Jesús

Preparar nuevos líderes

El momento de la reunión debe ser dinámico, ya que la mayoría de los miembros vienen a la reunión después de un largo día de trabajo. Es posible que muchos lleguen a la reunión por cumplir con el compromiso, y otros estén allí con sus mentes en el consultorio médico o en alguna necesidad. Cualquiera que sea la razón, empiece la reunión de manera agradable y alegre. Conecte a los miembros con la vida del grupo.

Estas son algunas ideas que te ayudarán a conectar a los miembros con la vida del grupo:

- Reúne a tu grupo UNA VEZ POR SEMANA.
- Ser específico con el tiempo, y ser puntual para iniciar y finalizar la reunión.
- Integrar a todos los miembros en los quehaceres del grupo.
- No des sermones en el grupo.
- Procura que el lugar de reunión tenga una buena iluminación.
- Procura que la temperatura del lugar sea agradable.
- Ten un plan para los niños que van al grupo. Los niños son parte esencial del grupo y también ellos deben ser ministrados.
- Coloca los asientos en forma de círculo, NO COMO EN EL TEMPLO.

Compromiso

- Que todos los asistentes tengan acceso a los materiales que usarán en la reunión; Biblia, cancionero, audiovisual, etc.

La agenda de la reunión del grupo pequeño

El autor contemporáneo más conocido en el tema de grupos pequeños, Joel Comiskey, sugiere una agenda sencilla y muy útil para utilizarse en la reunión del grupo. Esta agenda consta de cuatro elementos principales: bienvenida, alabanzas, Palabra y obras.[2] El tiempo estimado para la reunión es de sesenta a noventa minutos (1 hora – 1:30 horas).

1. No es saludable que la reunión supere los noventa minutos.
2. Es muy beneficioso que la reunión termine y los miembros deseen continuar.
3. Cuando la reunión termina porque los miembros ya están cansados, la gente no tendrá deseos de volver a una próxima reunión.

La agenda de una reunión dinámica se desarrolla utilizando los siguientes elementos:

Bienvenida: Este momento es un rompehielos que nos permite encauzar a los presentes en la vida del grupo. Generalmente, puede hacerse mediante una pregunta interesante relacionada con el tema o alguna ilustración atrayente que capte la atención. Esta parte puede ser realizada por el líder, el anfitrión o cualquier persona a la que el líder desee delegar esta responsabilidad. El tiempo estimado es de 10 a 15 minutos.

Alabanzas: El objetivo de este tiempo es entrar en la presencia de Dios mediante la oración cantada. Las partes que serán cantadas deben elegirse previamente y en relación con el tema que será tratado en la reunión. Esta sección debe concluir con una corta oración que dé paso al estudio de la Biblia. El tiempo de duración estimado es de 10 a 15 minutos.

Palabra: En este momento el grupo entra en comunión con Dios por medio de su Palabra. La finalidad del estudio de la Palabra de Dios es la transformación de la vida de las personas. Recordemos que este espacio no es un sermón ni una cátedra, sino un análisis grupal mediante una discusión fluida y amena. El tiempo estimado es de 25 a 30 minutos.

Bienvenida	Alabanza	Palabra	Obra	Refrigerio
10-15 minutos	10-15 minutos	25-30 minutos	10-15 minutos	10-15 minutos
Es el rompehielos de la reunión	Entrar en la presencia de Dios	Dinámica de discusión sana	Analizar el trabajo	Fomenta el compañerismo
Conecta a los miembros con la vida del grupo	Comenzar con una oración corta	Preguntas correctas	Dar testimonios	Clima social
		Transformar las vidas de las personas	Presentar pedidos	Incrementa la unidad
			Oración especial	

Obras: En este espacio se analiza el trabajo realizado, o el que se estará realizando. Es importante motivar a los miembros al estudio de la lección. Si alguien quiere dar un testimonio corto, o si se desea presentar alguna petición especial de oración, este es el momento ideal. Este espacio finaliza con una oración especial presentando a Dios cada petición, los miembros y los interesados. El tiempo estimado es de 10 a 15 minutos.

Refrigerio: Puede que esto a muchos les funcione y a otros no. Sin embargo, debería realizarse de vez en cuando, ya que saca al grupo de la monotonía habitual y le brinda un momento para compartir juntos en un clima más informal. Este espacio se presta para desarrollar una conexión más personal con los miembros del grupo.

Una reunión exitosa

Medimos el éxito de la reunión por dos cosas fundamentales. La primera es la edificación de los presentes y la glorificación de Jesús en el desarrollo de la discusión. Todo líder debe preguntarse al finalizar su reunión:

1. ¿Las personas fueron edificadas?
2. ¿Jesús fue glorificado?

Compromiso

La respuesta positiva a estas dos preguntas definirá a ese encuentro como una reunión exitosa para la gloria de Dios.

La fluidez de una reunión ideal

Se espera que en una reunión de grupo pequeño bien conducida las cosas fluyan con naturalidad y entusiasmo.

1. El rompehielos y la bienvenida derribarán las barreras de la indiferencia y nos ayudará a conocernos más los unos con los otros.
2. La adoración nos lleva a la presencia de Dios.
3. El líder conduce a todos los miembros a participar en la discusión de la Palabra, y todos los presentes exploran juntos la Palabra de Dios.
4. En el tiempo de las obras, los miembros expresan sus necesidades y agradecimientos personales presentándolos al Señor en oración.
5. Finalmente, todos los presentes se ponen de pie alrededor de la mesa con el refrigerio en interacción social, riéndose y compartiendo.

Reuniones digitales

La pandemia del COVID-19 nos ha dejado varias enseñanzas, entre ellas, el hecho de que las formas no determinan el fin. Con las reglamentaciones sanitarias del distanciamiento social y el miedo al contagio, las reuniones en las casas se vieron imposibilitadas. Esto planteó el desafío de abrirse a nuevos métodos de reuniones para la atención del grupo. Entendimos que lo más importante no era la forma sino el grupo mismo. Al final, terminamos disponiendo de diferentes recursos digitales para realizar reuniones y actividades con los grupos pequeños, y aun con la iglesia. Estas son algunas de las plataformas más comunes para reuniones que te pueden ayudar a desarrollar grupos pequeños aun cuando no pueden reunirse físicamente en las casas.

- *Zoom*: Esta plataforma de reunión es compatible para *Windows* y para *Mac*, y en la mayoría de los dispositivos electrónicos. Ofrece un tiempo de reunión gratuito, y una serie de recursos que permiten la interacción y la presentación con fluidez. Es una de las plataformas de más fácil uso. Ha sido objeto de muchas críticas por ser vulnerable y algunos piensan que puede ser insegura. En nuestra experiencia, ha funcionado muy bien (https://zoom.us).

- *Skype*: En su versión gratuita, permite conectar hasta 50 personas en video llamadas. También ofrece transmisión de pantalla y la posibilidad de grabar la reunión que se está realizando. Es una plataforma muy conocido y es compatible con la mayoría de los dispositivos comunes. *Skype* también posee una función llamada "meet now" que permite ingresar y crear reuniones con video llamadas sin tener necesariamente una cuenta *Skype* (www.skype.com).

- *Google Duo*: Esta plataforma permite hacer reuniones de video llamadas con hasta doce personas. Tiene un app compatible con la mayoría de los dispositivos electrónicos y también a través de la web. La cantidad de participantes es limitada, sin embargo puede ser un excelente recurso por la calidad de su imagen y la seguridad del programa (www.duo.google.com).

- *Google Hangouts*: Esta es otra función de Google que te permite hacer reuniones de 10 a 25 personas, dependiendo la función que escojas (www.hangouts.google.com).

- *Facetime*: En sus llamadas en grupo, *Facetime* permite hasta 32 participantes. Tiene la limitación de que solo puede ser utilizada por los dispositivos de *Apple*.

- *Messenger*: Te permite hacer vídeo llamadas con hasta 50 participantes y un chat grupal de hasta 250 personas. Es muy fácil de usar y está disponible para la mayoría de los dispositivos electrónicos (www.messenger.com).

- *Jitsi meet*: Es una plataforma con un excelente servicio gratuito, con video llamadas sin limites de usuarios. Está disponible para la mayoría de los dispositivos electrónicos, y es muy fácil de usar. También permite la posibilidad de retransmitir a diferentes redes sociales (www.jitsi.com).
- *Line*: Esta aplicación, compatible con *Mac* y con *Microsoft*, permite videoconferencias de hasta 200 participantes y chat hasta 499. Al igual que la mayoría de las otras, solo permite la interacción con personas que también tengan la aplicación. (https://line.me).
- *Blue Jeans*: Este recurso permite hacer reuniones de video llamadas de hasta 50 personas y asegura ser un sistema muy seguro. Sin embargo, para poder usarlo hay que adquirir un plan con costo. (www.bluejeans.com).
- *Facebook*: en el contexto del COVID-19 la red social de *Facebook* habilitó su *messenger room* para reuniones de vídeo llamadas hasta con 50 integrantes. Así convirtió este medio en un excelente recurso para nuestros grupos, ya tantas personas utilizan *Facebook*.

La utilización de recursos electrónicos agiliza la interacción del grupo pequeño, aunque lo ideal es estar cara a cara. Pero poder verse y hablar de manera electrónica aporta una solución ante las limitaciones sanitarias. Por las ventajas de competitividad que ofrece, la videoconferencia se está convirtiendo en una herramienta fundamental para las organizaciones de cualquier tamaño. En el caso de los grupos pequeños, facilita la realización de la reunión desde donde los miembros estén, sin correr riesgos de contagio. Para la realización de las reuniones virtuales de grupo es importante que el director del grupo o la persona que dirija la reunión tome en cuenta tres cosas:

Conexión: Poseer una buena conexión a Internet facilitará la interacción limpia, sin que la reunión se interrumpa por falta de señal.

Antes de la reunión, examina bien tu conexión a Internet y asegúrate que todo esté en orden.

Imagen: Asegúrate de que tu rostro esté bien iluminado. Colócate en un lugar donde tengas buena iluminación de frente. Evita tener luz detrás de ti, porque tu imagen no se verá con claridad. Los miembros del grupo deben ver con claridad tu rostro y tus manos, ya que ahí leerán las expresiones corporales que facilitan la comprensión y producen un ambiente de confianza.

Cuida tu vestimenta. El hecho de que estés en casa no significa que la reunión del grupo no sea seria. Procura vestirte como si la reunión fuera presencial. Esto enviará un mensaje de respeto y consideración a los miembros del grupo. Por otra parte, el descuido en tu presentación manifiesta que la reunión te importa poco, que solo estás ahí para salir del paso. Recuerda mirar siempre la cámara de tu dispositivo cuando hables; imagína que esa cámara son las personas que están en la reunión contigo. De esta manera, los participantes percibirán que los estás mirando a ellos, y el mensaje que transmitirás será claramente recibido.

Audio: En general, los micrófonos integrados de nuestros dispositivos electrónicos hacen un buen trabajo a la hora de una vídeo llamada para la reunión del grupo. Sin embargo, siempre es bueno estar seguro de que durante la reunión nos puedan escuchar bien y nosotros escuchar bien a los participantes. Procura cuidar los sonidos que hay a tu alrededor durante la reunión, ya que estos pueden ser distractores.

Procura que la reunión fluya con naturalidad, permitiendo que la gente se exprese, creando un ambiente de confianza y compañerismo. No tengas miedo de probar nuevas herramientas para el desarrollo de tu grupo. En momentos especiales hay que tomar medidas especiales.

---

1. Joel Comiskey, "What is a Cell Group?", *Joel Comiskey Group*, en https:// joelcomiskeygroup.com/en/resources/cell_basics/en_whatisacellgroup/; actualizado en 2013.

CAPÍTULO 5

Compañerismo

Promoviendo el compañerismo mediante una discusión saludable

Al llegar a la sección "compartiendo la Palabra", entendemos que el grupo pequeño no es para presentar un sermón o meditación ante los presentes en la reunión. Si hacemos esto, les robamos a los demás miembros del grupo la oportunidad de compartir la palabra, y terminamos convirtiendo ese momento especial en un monólogo. Generalmente esto no ocurre porque nos propongamos que sea así, sino porque no sabemos hacerlo de otra forma.

La importancia de la discusión en el grupo pequeño

Durante la década de 1960, el renombrado educador Edgar Dale diseñó un modelo de enseñanza basado en la experiencia. Lo llamó "El cono del aprendizaje o de la experiencia". Este modelo sostiene que los alumnos retienen más información cuando "hacen", a diferencia de cuando escuchan, leen u observan.[1] Del mismo modo, Socorro Fonseca habla de la complejidad de la comunicación y enfatiza: "Hablar bien no es suficiente". Hablar bien puede captar la atención de unos cuantos, pero no necesariamente producirá el cambio buscado. Por lo tanto, el autor propone un nuevo enfoque de la enseñanza, el "aprender aprendiendo".[2]

Este enfoque consiste en recorrer junto con el participante el camino del aprendizaje, haciendo de este camino toda una experiencia. En este modelo de aprendizaje experimental se fusionan el conocimiento, la habilidad y el desarrollo de actitudes y valores. Cuando el líder motiva la discusión en el grupo, los miembros están aprendiendo "haciendo", están razonando y compartiendo.

Las discusiones son un intercambio de información entre los miembros. Podemos afirmar que las discusiones en el grupo pequeño son más objetivas que los sermones, pues estos no son un intercambio, sino una entrega de información.

En el sermón, el orador expone un tema y los oyentes adquieren el conocimiento, pero no hay un intercambio entre los presentes. La información solo corre desde el orador hacia los oyentes. A cambio, en las discusiones en grupo se proveen vías de intercambio de información y conclusiones entre todos los miembros. Existe una dinámica de discusión en que cada miembro recibe, procesa y comparte, haciendo de esta discusión una experiencia enriquecedora.

Cuando damos un sermón en el grupo, la comunicación es unilateral: uno se comunica con muchos. En este estilo no hay retroalimentación. Sin embargo, cuando el estudio de la Palabra en el grupo es una discusión de la cual todos forman parte en la observación, el significado y la aplicación del texto bíblico, el grupo disfruta de una experiencia de intercambio agradable. Se efectúa una comunicación poli-canal, en la que todos los participantes son a la vez canales y receptores de la información.

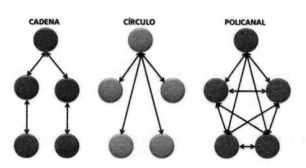

Compañerismo

Beneficios de la discusión como dinámica de aprendizaje para el grupo pequeño.

La expresión "dinámica de grupo" describe la relación y la atmósfera con la cual un grupo interactúa entre sí y crece junto.[3] Observa algunos de los beneficios de las discusiones en grupo como método de estudio en los grupos pequeños:

1. Las discusiones en grupo motivan la participación del miembro.
2. Las discusiones en grupo logran captar su atención.
3. Las discusiones en grupo permiten la expresión y el intercambio de sentimientos, pensamientos y emociones.
4. Las discusiones en grupo ayudan al miembro a integrarse al grupo y a romper barreras interpersonales.
5. Las discusiones en grupo permiten a los miembros aprender a través de la experiencia personal suya y de los demás.
6. Las discusiones en grupo crean un ambiente agradable, divertido y motivador.
7. Las discusiones en grupo favorecen el clima de aceptación y confianza.
8. Las discusiones en grupo estimulan el pensamiento y ponen a trabajar la mente.

Preguntas cerradas y abiertas

Para lograr una discusión efectiva, todo líder de grupo pequeño debe desarrollar la habilidad de hacer las preguntas adecuadas. Necesita técnicas sencillas de análisis y la estructuración de una lección objetiva. Para lograr incrementar la participación de los miembros del grupo en la discusión, se deben hacer preguntas adecuadas. Observa las características generales de las preguntas abiertas o cerradas.

Las preguntas cerradas: Son aquellas a las que se puede responder con pocas palabras y tienen una sola opción de respuesta; por ejemplo: sí, no, bien, mal, etc. Estas preguntas no motivan el diálogo, pues pueden ser respondidas por una sola persona. No se puede profundizar en ellas ni enriquecer las respuestas.

Ejemplos de preguntas cerradas:

- ¿Cómo te sientes hoy?
- ¿Vienes al grupo la próxima semana?
- ¿Este texto te parece bien?

Si te das cuenta, cada una de las preguntas anteriores puede responderse de una sola manera. No hace falta que nadie más opine sobre ellas. No motivan al diálogo, por lo tanto, son preguntas cerradas.

Las preguntas abiertas: Estas preguntas motivan el diálogo porque pueden ser respondidas desde la experiencia individual de cada participante. Ofrecen más de una respuesta correcta, y puede participar cada integrante del grupo. Estas preguntas pueden ser enriquecidas por varias personas. Si bien es cierto que las preguntas cerradas son útiles y necesarias, las preguntas deben estar más prevalentes en las discusiones en grupo.

Ejemplos de preguntas abiertas:

- ¿Cómo describirías tus sentimientos ante una experiencia como la de Daniel en el foso de los leones?
- ¿Cómo consideras que Dios ha mostrado su protección y cuidados en tu vida?
- ¿De qué forma Dios ha revelado su amor en tu vida y en la de tu familia?

Cada una de estas preguntas incrementa el diálogo, pues se pueden responder desde la óptica personal. Cada miembro del grupo puede dar su respuesta, y todas serían correctas.

Observación, interpretación y aplicación

En su libro *Buenas preguntas*, el reconocido educador Terry Powell clasifica las preguntas en tres categorías para la interpretación apropiada de un texto en una lección de estudios para grupos: 1) observación, 2) enfoque interpretativo, y 3) conexión con la vida diaria.[4] Estas preguntas ayudan a construir una lección amena que promueva la discusión.

Las preguntas de observación: Son aquellas preguntas cuyas respuestas se pueden encontrar en el texto. Para hallar su respuesta solo hay que leer el material.

Por ejemplo: ¿Cuántos días duró Jonás en el vientre del pez?, o ¿cuánto tiempo duró Israel en el desierto antes de entrar en la tierra prometida? Cada respuesta puede encontrarse "observando el pasaje bíblico".

Para formular este tipo de preguntas debemos tomar en cuenta:

1. *El contexto*: Qué dice el texto o qué dice antes y después del texto.
2. *¿Qué?*: Describir qué es lo que está ocurriendo o lo que el autor está diciendo. La idea no es interpretarlo sino poder identificar la idea del texto.
3. *¿Cómo?*: Qué mandatos se dan o qué operaciones son descritas. Identificar si se está haciendo o mandando a hacer al mismo tiempo o una seguida de la otra.
4. *¿Cuándo?*: Poder identificar el tiempo o el orden de los sucesos en el texto en cuestión.
5. *¿Dónde?*: El lugar o los lugares mencionados.
6. *Causa-efecto*: Si lo mencionado o el evento narrado es consecuencia de algo o traerá como consecuencia algo.
7. *Repeticiones*: ¿Cuáles palabras o ideas se repiten en el texto?
8. *Figuras de lenguaje*: Identificar las comparaciones o figuras utilizadas por el autor para expresar el mensaje deseado.
9. *Contraste*: ¿Cuáles contrastes de actitudes, respuestas, circunstancias y fraseologías podemos observar en el texto?
10. *Clasificaciones*: Observar las clasificaciones existentes en el pasaje: humano, animal, estatus, estilo de vida, etc.[5]

Las preguntas de enfoque interpretativo. Esta categoría de preguntas busca adentrarse en la verdad contenida en el texto. Rebusca cuál es el contenido ilustrado en el pasaje. Esta categoría es muy importante, porque de ella se deriva la efectividad de la aplicación del texto.

En este punto de la dinámica, el maestro o moderador de la discusión debe tener un conocimiento previo de la interpretación del texto. Es un grave error ir a una reunión de grupo pequeño a improvisar el estudio de discusión. Cuando el líder conoce de antemano el sentido del texto, podrá guiar al grupo con preguntas claras y objetivas hacia una sana interpretación del texto y a una aplicación relevante.

En su libro *Dirige*, Joel Comiskey establece que "la interpretación va un paso más allá que la observación".[6] La observación del texto busca comprender simplemente lo que dice el texto, pero no entenderlo. La interpretación busca establecer un significado. Por ejemplo, Juan 3:16 dice: "Amó Dios al mundo". Algunas preguntas de interpretación serían: "¿Qué significa la palabra 'mundo?'"; "¿Está hablando Juan del planeta, o de las personas en el planeta, o de un sistema mundano aparte de Dios?"

Para formular este tipo de preguntas debemos tomar en cuenta:

1. *La oración*: Pedir dirección divina por medio de la oración.
2. *Referencias bíblicas*: Identificar la verdad bíblica del texto y compararla con otros textos.
3. *Referencias extra-bíblicas*: Buscar material extra-bíblico (comentarios, diccionarios, exégesis crítica, etc.).
4. *Profundizar*: Entender el pasaje en su contexto: el momento que fue escrito, para quiénes fue escrito, por qué fue escrito, o qué solución aportaba a su época.

Las preguntas de conexión con la vida diaria. Para llegar a realizar esta categoría de preguntas debe haberse construido una base firme con las preguntas de observación e interpretación. Una discusión en grupo sin preguntas que conecten a los participantes con el texto bíblico aplicado a su vida diaria es una discusión que no ha logrado su objetivo.

De este modo, podemos clasificar las preguntas de conexión con la vida diaria en tres categorías: "Preguntas anecdóticas, preguntas de posibilidades y preguntas retóricas".[7]

- *Preguntas anecdóticas*: Estas preguntas crean identidad de manera directa entre el miembro del grupo y el tema estudiado. Sin poner en aprietos a los participantes, el líder pregunta si a alguno le ha pasado tal o cual cosa que está contenida en el texto estudiado. En la discusión pueden destacarse las reacciones, los hechos y los sentimientos acarreados en las circunstancias expuestas.
  Ejemplos: ¿En qué momento has sentido que pierdes el control de todo? ¿Cuál fue tu reacción?
- *Preguntas de posibilidades*: Con este tipo de preguntas se pueden explorar las posibles reacciones de los participantes ante la aplicación de lo aprendido en sus vidas.
  Ejemplos: "¿Qué cambios ocurrirían en tu vida si oraras como Daniel?", o "¿Qué reacción tendrías si fueras tentado como Jesús?" No estás exponiendo al participante a revelar sus secretos, pero sí a confrontar su realidad con una solución bíblica.
- *Preguntas retóricas*: Este tipo de interrogantes procura que el miembro del grupo reflexione o modifique su conducta. Estas preguntas no dominan toda la discusión, pero sí establecen una línea de cambio personal en los participantes.
  Ejemplos: "¿De qué manera tiene Dios que hablarnos para que nosotros podamos responder a su llamado?", o "¿Qué más podría hacer Dios para que le concedamos la máxima prioridad en nuestras vidas?"

El manejo de las técnicas de hacer buenas preguntas es el principio de una discusión amena y provechosa en el grupo. Esta es la clave para una buena discusión: hacer las preguntas correctas. Recordemos que "una pregunta hábil es la mitad de la respuesta".[8]

¡RECUERDA! tomar en cuenta los siguientes puntos:

- Asegúrate de que la reunión inicie a tiempo e incluya cada una de sus partes.
- La reunión debe ser placentera.
- Asegúrate de que todos los participantes se sientan integrados.
- Da indicaciones claras y descriptivas de cómo sucederán las cosas en la reunión.
- Facilita la interacción del grupo.
- Al desarrollar la discusión, trata una idea a la vez.
- Facilita el entendimiento, haciendo sencillas las cosas.
- No propicies discusiones conflictivas.
- No avergüences a los participantes, aunque estos no contesten correctamente.
- Siempre que tengas la oportunidad de retroalimentar, ¡HAZLO!

1. Miguel Ángel Romero, *Aprendizaje vivencial*, en: http://formacionparaformadores.com/aprendizaje-vivencial/, consultada en enero 2015.
2. Socorro Fonseca Yerena, *Comunicación oral: fundamentos y práctica estratégica* (Monterrey, México: Pearson Education, 2005), p. 6.
3. Lawrence O. Richards, *Creative Bible Teaching* (Chicago, Illinois: Moody Publishers, 1998), p. 158.
4. Terry Powell, *Good Question* (Cincinnati, Ohio: Standard Publishing, 2007), pp. 22-29.
5. *Ibid.*, pp. 22, 23.
6. Joel Comiskey, *Dirige* (Moreno Valley: CCS Publishing, 2007), p. 21.
7. Terry Powell, pp. 46-48.
8. Charles H. Betz, *Técnicas de enseñanza* (Buenos Aires: Asociación Casa Editora Sudamericana, 1994), p. 109.

Capítulo 6

Madurez

Enfrentar desafíos en el grupo y ministrar a todos creando un ambiente de madurez en el grupo.

Cuando enfrentamos los desafíos del grupo con sabiduría y ministramos a todos, incluyendo a los niños, creamos un ambiente de madurez en el grupo. Miremos cómo podemos manejar los principales desafíos en esta etapa.

Manejo de desafíos en la discusión del grupo pequeño

La promoción de la interacción de ideas en el grupo pequeño posee grandes beneficios, pero también abre la puerta a una serie de desafíos que, si son mal manejados, pueden echar a perder cualquier buena reunión. En muchos casos la discusión en grupo suele convertirse en un "debate" o una sesión de "argumentación". En estos casos es importante que el líder recuerde las siguientes sugerencias:

- Utilizar el buen humor, pues relaja el ambiente. Sin embargo, nunca puede ser a expensas del otro.
- Evitar los mensajes en segunda persona; "Tú/usted".
  - Tú/usted está prejuiciado.
  - Tú/usted está equivocado.
  - Tú/usted es obstinado.
  - Etc.

- Recordar que el líder está presente para ser un conciliador.
- Tratar de aceptar y ponderar las opiniones de los demás, aunque sean erróneas, para luego solucionar las cosas. Por ejemplo:
  - Gracias por presentarnos su opinión...
  - Agradezco que se tomó el tiempo de compartirnos su opinión...
  - Su punto de vista es muy interesante...
- No permitir que nadie monopolice la reunión.

Recuerda:

Tolerar el silencio: el líder debe hablar el 30 por ciento del tiempo, y el resto del grupo el 70 por ciento. La reunión de grupo no es un momento para aprender a predicar, más bien es el momento para motivar a los miembros a participar.

Decide escuchar: la verdadera interacción ocurre cuando el líder decide preguntar y escuchar.

La retroalimentación es una herramienta que debe ser constantemente usada. Al finalizar las diferentes sesiones o preguntas de la discusión, el líder debe expresar una frase de resumen que enfoque a los presentes. Cuando terminen de analizar cada punto, haz un resumen de lo aprendido en una frase. Por ejemplo, después de concluir la observación de Juan 3:16 podemos decir: "Muy bien, de acuerdo con lo que hemos observado en el texto podemos decir que:

- Dios ama a la humanidad.
- Dios entregó a Jesús por amor a la humanidad.
- Si aceptamos el sacrificio de Jesús, tendremos vida eterna.

Esta retroalimentación ayudará a los participantes a fijar el conocimiento aprendido. Este ejercicio puede repetirse después de cada nivel y al finalizar la discusión. Mientras más corta y simple es la retroalimentación, más fácil es de recordar.

- *El líder del grupo pequeño es un facilitador*, facilita la fluidez de la reunión del grupo y permite la participación de la mayoría. Trata bien a la gente, recuerda que los que estás dirigiendo son aquellos por quienes Jesús murió.
- *No te desanimes cuando no asista mucha gente a una reunión, sigue adelante.* Recuerda que nuestra lucha no es contra carne ni sangre sino contra potestades y principados de las tinieblas.

¿Qué hago con los niños?

Unos de los desafíos que enfrentamos en las reuniones de grupos es qué hacer con los niños. Generalmente tratamos de entretenerlos y así poder desarrollar la reunión con éxito, sin embargo, los niños también son parte del grupo, y merecen ser ministrados.

Por favor recuerda los siguientes NO:

- NO ponerlos a pasar el tiempo pintando y nada más.
- NO los dejes bajo supervisión de otro niño.
- NO les pongas un maratón de caricaturas seculares para pasar el tiempo.

¿Qué hacer?

- Permíteles que se queden con los adultos hasta el tiempo de la Palabra.
- Durante el tiempo de la Palabra, separen a los niños de los adultos.
- Preparen a alguien para que tenga una lección enfocada en los niños.
- Puedes usar un video bíblico para niños en este tiempo.
- Puedes crear un ministerio de grupos pequeños exclusivo para niños.

¿Cómo controlar al hablador?

Uno de los desafíos más comunes es qué hacer con una persona que desea controlar toda la discusión hablando él solo. Nuestra primera reacción hacia este tipo de persona es la incomodidad, la frustración, y a veces el enojo. Sin embargo, siempre vale recordar que Jesús también murió por ellos y desea salvarlos. Miremos algunas ideas para tratar con este tipo de personas:

1. *Tenga el menor contacto visual posible con esa persona.* Cuando miramos a las personas al preguntar, el cerebro entiende que se le está dando permiso para hablar y opinar. Resulta que a estas personas no hay que estimularlas mucho. Si las miras constantemente, ellos entenderán que pueden hablar en todo tiempo.
2. *Pide a otras personas que den su opinión llamándolos por su nombre.* Cuando llamas por su nombre a alguien, estás diciendo a los demás: "Espere su turno".
3. *Cuando el hablador haga una pausa, interrumpa y guie el dialogo en otra dirección.* Pero no se puede abusar de esta medida.
4. *Pídale al hablador que le ayude a impulsar la participación de otros.* Es posible que la persona entienda que con su silencio está colaborando para alcanzar la meta del grupo y se calme. A todos nos gusta ser útiles y tener una razón de ser, ya que eso le da sentido al ser humano. Cuando le entregas una responsabilidad a esta persona, le estás dando propósito en el grupo y esto para él o ella puede ser un sentido de vida.
5. *Si ninguna de las ideas anteriores le funcionó, hable con la persona y trate directamente el problema.*

Reunión de rendición de cuentas y capacitación

Realiza una reunión de manera regular con los demás líderes de grupos pequeños y rindan cuentas unos a otros. No tengas miedo de rendir cuentas a tu pastor. En esta reunión cada líder puede compartir sentimientos, revelar tentaciones e identificar áreas problemáticas tanto en el crecimiento personal como espiritual. Establece un sistema de rendición de cuenta y capacitación sistemática. José Cortés, en el clásico manual sobre grupos pequeños, *Como lo hizo Jesús*, motiva a que los líderes realicen junto a su pastor una reunión semanal, la que él llama "*máster group*" (grupo maestro).[1] En esta reunión los líderes de los grupos informan, animan a otros y son equipados. Es importante saber:

- Cuántos miembros asisten a los grupos.
- Cuántos están estudiando diariamente.
- Si alguien tiene alguna necesidad especial.
- Orar juntos por los enfermos y necesitados.
- Evaluar los objetivos generales de la congregación y los de cada grupo.
- Planificar actividades juntos.
- Consultar y trazar estrategias.

Manejo y solución de conflictos en el grupo

Para muchos, los conflictos se convierten en una maldición; sin embargo, el conflicto es una oportunidad para crecer en compañerismo y en nuestra experiencia de fe. Cuando enfrentamos un conflicto y logramos manejarlo y solucionarlo, nos hacemos más fuertes, y nuestros lazos como grupo crecen. Existen tres respuestas que podemos dar al conflicto: 1) adoptar una actitud de escape, 2) dar una respuesta de ataque, y 3) desarrollar una actitud de paz.

Actitud de escape

Asumimos una actitud de escape respecto al conflicto cuando respondemos con negación y emprendemos la huida. Al final, no enfrentamos el conflicto en el grupo y terminamos negándolo, pero esto nos hace vivir fuera de la realidad del grupo. Es importante que el liderazgo del grupo no adopte una actitud de escape frente al manejo de los conflictos en el grupo, pues esta actitud terminará explotando con el tiempo y dañando el desarrollo del grupo.

Intentar escapar o ignorar el problema no hará que el problema desaparezca. Los conflictos solo desaparecen solucionándolos. Según un mito popular, cuando el avestruz se ve amenazado, esconde su cabeza, pensando que como no ve el peligro, el problema desapareció. Si adoptamos la actitud del avestruz e intentamos escapar de los conflictos, escondemos la cabeza y seguimos en el grupo como si todo fuera normal, pensando que el problema o el conflicto se solucionó, pero el conflicto seguirá ahí mientras no sea enfrentado.

Actitud de ataque

También se pueden manejar los conflictos mediante el ataque, asumiendo una actitud agresiva o condenatoria. Pretendiendo enfrentar el conflicto, terminamos agrediendo a los demás, haciéndolos sentir menos, o simplemente intimidándolos al alzar la voz o gesticular. Otra manifestación de una respuesta de ataque es disputar, protestar, indicar quién es el culpable, presentando pruebas y pruebas qué incriminen al otro, y a uno lo presenten como inocente o no culpable.

Actitud de paz

Los conflictos se convierten en bendición en un grupo pequeño saludable cuando son enfrentados con respuestas de paz, porque promueve el crecimiento de cada uno de los miembros del grupo. Una respuesta de paz nos permite avanzar juntos en medio del conflicto. Habiéndose solucionado el problema, el grupo gana una victoria, no hay derrotados, todos terminan ganando.

En la respuesta de paz, el líder del grupo pequeño jugará el papel de mediador. El líder no debe inclinarse hacia ninguna de las partes ni defender posiciones, solo debe mediar entre ambas, pidiendo sabiduría divina. Las principales estrategias que deben ser utilizadas en las respuestas de paz son la reconciliación y la negociación.

- *La reconciliación.* Lo ideal sería que pudiéramos pasar por alto las ofensas, pero de no ser así, la reconciliación es la mejor herramienta. La reconciliación ocurre mediante la confesión, la corrección amorosa y el perdón.

- *La confesión.* Mediante la confesión, aceptamos nuestros errores y no señalamos los errores de los demás, sino que asumimos nuestra responsabilidad en el conflicto.

- *La corrección.* La corrección amorosa me permite expresarme con claridad en el grupo sin ser interrumpido. En ese momento la persona tiene la oportunidad de señalar aquellas cosas que le marcaron. Ser escuchado sin una actitud defensiva es lo ideal en ambas partes. En este paso el papel del líder del grupo es fundamental, ya que solo se puede tener éxito con un mediador.

- *El perdón.* El perdón sana el alma. La acumulación de rencores y malos sentimientos enferma el corazón, sin embargo, el perdón marca la diferencia. Es importante recordar que debemos perdonar como Dios nos ha perdonado. Con mucha certeza Agustín de Hipona dijo: "Ama a tus enemigos, ya que estos no pueden dañarte en modo alguno con su violencia como te dañas tú a ti mismo si no los amas". Guardar rencor y no perdonar daña el alma.

- *La negociación.* El principio para ser aplicado en esta estrategia es "ganar-ganar". Debemos procurar que cuando usamos la estrategia de la negociación para solucionar conflictos en el grupo pequeño todas las partes implicadas terminen ganando. Cuando solo una de las partes obtiene lo que deseaba, la otra parte se considerará perdedora, saldrá herida y es probable que le tome mucho tiempo volver al grupo.

Muchos grupos pequeños entran en conflicto por situaciones tan sencillas como el horario y el día de reunión. Algunos argumentan el lunes a las seis de la tarde, otros el viernes a las ocho de la noche. Si el grupo del lunes a las seis termina ganando, el otro grupo se sentirá perdedor. Aquí es importante negociar bajo el principio "ganar-ganar": asegurarse de que todos expresen lo que quieren apoyar y por qué, luego comenzar a buscar puntos en común.

Ambos bandos desean el horario de la tarde, ahora busquemos un punto medio entre el día entre lunes y viernes, probablemente el punto medio sería miércoles o jueves. En la negociación escogemos el jueves a las 6:30 pm. Ambos bandos ganaron, fue una negociación ganar-ganar. Recordemos siempre que los conflictos son una oportunidad para crecer y glorificar a Dios.

---

1. José Cortés, *Como lo hizo Jesús* (New Jersey: Faith House Editorial, 2003), p. 51.

RECOMENDACIONES:
Etapa de establecimiento

Recuerda que esta etapa se constituye en uno de los mayores retos para los grupos pequeños. Solemos encontrarnos con situaciones como:

- Una reunión de grupo donde solo llegan el líder y el anfitrión.
- Los miembros del grupo comienzan a cancelar su asistencia media hora antes de la reunión.
- Algún miembro entra en conflicto con otro miembro.
- Miembros que ya no quieren pertenecer a ese grupo pequeño.
- Algunos miembros llaman o mandan mensajes de texto preguntando si realmente habrá reunión del grupo esa semana.
- La crítica de líderes y miembros de iglesia que aún no se unen al plan.

En fin, esta etapa es desafiante, sin embargo, al superarla el grupo estará establecido y listo para enfocarse en la misión de multiplicarse. Recuerda lo siguiente en esta etapa:

- Muestra simpatía y comprensión.
- Ora pidiendo sabiduría y paciencia.
- Procura conocer el temperamento de sus miembros y aceptarlos.
- Preséntales al Señor cada día en oración a los miembros de su grupo.
- Sin descuidar las otras áreas, procura que la adoración y la palabra lo conecten con Dios y su Palabra.
- Desarrolla actividades de índole espiritual.
- Respeta el intercambio de ideas.
- Otorga una atención especial al tiempo de la discusión de la palabra.

- Sigue adelante, no te desanimes, aun cuando no todos los miembros asistan a las reuniones.
- Afirma procesos, día de reunión, encuentro en la escuela sabática, etc.

Enfoque

Misión – Liderazgo – Servicio

*En esta etapa el enfoque del grupo se puede
confundir debido a la constante convivencia. Así mismo,
los enfoques del grupo deben observarse:
ascendente, interno, externo y hacia delante.*

CAPÍTULO 7

Misión

Si los grupos no atraen a otros para Jesús,
serán solo una simple reunión social.

Muchos GPS suelen quedarse estancados en la etapa anterior: hacen
buenas reuniones, interactúan muy bien entre sí, solucionan sus
conflictos muy bien, pero no llega a nada más. El GPS se convierte en
una reunión social que estudia la Biblia y comparte entre sí. No hay
bautismos, y mucho menos se multiplica.

Hace un tiempo se me acercó frustrado un líder de GPS y me dijo:
"Pastor, creo que esto de los grupos no funciona. Tengo ya casi un año
reuniéndome con nuestros miembros y no pasa nada. Somos los mismos, pasamos un buen rato juntos, pero solo eso y nada más".

Entendí a este hermano, pues tenía razón. Si los grupos no atraen
a otros para Jesús, serán una simple reunión social. Luego de evaluar el
grupo, nos dimos cuenta de que este se había estancado en la segunda
etapa, y en el ciclo de desarrollo se había anclado en el establecimiento,
pero aún no había pisado la alfombra del enfoque. No habían sido in-
tencionales en el avance del proceso.

En esta etapa debemos concentrarnos en enfocar nuestro GPS en
la obra que Dios desea que realicemos. Durante las reuniones se le debe
dar una importancia marcada al tiempo de las obras. Allí evaluamos el
plan de crecimiento, le hacemos ajustes y nos proyectamos hacia el futuro. Cuando nuestro líder frustrado entendió eso, comenzó a motivar

a los miembros de su grupo a identificar al menos a cuatro personas que ellos conocían, que vivieran en la ciudad, que no conocían a Jesús y que ellos deseaban que lo conocieran.

Luego de identificarlos, los miembros del grupo comenzaron a orar por estas personas, y luego a establecer contacto amistoso con ellas. Estos contactos se convirtieron en invitaciones para eventos estratégicos para amigos de la iglesia. Luego estos amigos comenzaron a estudiar la Biblia. Algunos meses después este grupo estancado vio bautismos y se multiplicó en otro grupo más.

No hace poco tiempo este líder me dijo: "Pastor, estoy dejando un líder en el grupo que estaba, porque quiero lanzarme a la aventura de abrir un nuevo grupo con mi familia y mis vecinos que no conocen a Jesús. Tengo tres meses orando por ellos y creo que Dios hará algo lindo allí". Él tenía razón; en pocos meses estábamos en el bautisterio bautizando a tres vecinos. Él había entendido el proceso, y lo estaba viviendo sin desperdicios.

Si te das cuenta, en esta etapa hay cuatro elementos clave que deben desarrollarse. 1) El enfoque misional del grupo con la mayor intencionalidad posible. 2) El enfoque y el desarrollo de un liderazgo misional en la persona encargada del grupo. 3) El impulso a la formación de ministerios de esperanza que conecten con la testificación. 4) El desarrollo de una conciencia misional de parte del anfitrión del GPS.

Enfocando al grupo en la misión

Recordemos que el grupo está para llevar a sus miembros a vivir una relación con Dios y proveer un clima de amistad y compañerismo cristiano, pero también tiene que ser el espacio donde los miembros puedan ser motivados y dirigidos a ganar a otros para Jesús. Esto debe reflejarse en las reuniones que hacemos y en cada estrategia que se desarrolle. La reunión del grupo debe ser integral, de modo que conecte con Dios, unos con otros, y con los no creyentes, desarrollando los dones espirituales de los miembros del grupo.

Misión

Promover la testificación

En esta etapa tenemos que crear planes concretos que promuevan la testificación de los miembros del grupo. La testificación no es una tarea que ocupe un nivel de complejidad técnica. Muchos miembros se asustan ante la idea de testificar por no saber qué hacer.

En el Nuevo Testamento encontramos tres narraciones que ilustran con claridad lo que es la testificación.

- *El gadareno*: El endemoniado gadareno, después de ser liberado por Jesús, comenzó a contarles a otros lo que el Salvador había hecho con él, y dice la Escritura que "todos se maravillaban" (Marcos 5:19, 20).
- *La mujer samaritana*: Juan narra el encuentro de Jesús con la mujer samaritana. Después de encontrarse con Jesús, ella salió a contar a todos lo que había ocurrido, y dice la Escritura que "Muchos... de aquella ciudad creyeron en él por la palabra de la mujer" (Juan 4:39).
- *El ciego*: Jesús untó barro en los ojos de un ciego, lo mandó a lavarse, y este fue sanado. Lleno de alegría, el hombre comenzó a contar a todos el milagro. Cuando los líderes judíos descalificaron a Jesús, el hombre respondió: "Si es pecador, no lo sé; una cosa sé, que habiendo yo sido ciego, ahora veo" (Juan 9:25).

Testificar es contar tu historia. Cada líder de grupo pequeño debe incentivar a sus miembros a contar a otros su historia. Para contar tu experiencia no tienes que preparar un curso bíblico o un sermón acabado. Simplemente diles a otros lo que era tu vida antes de recibir a Cristo, cómo conociste a tu Salvador, y cómo él Señor cambió tu vida.[1]

Recuerda que en todo el mundo hay muchas personas "que leen las Escrituras sin comprender su verdadero sentido. En todo el mundo, hay hombres y mujeres que miran fijamente al cielo. Oraciones, lágrimas e interrogaciones brotan de las almas anhelosas de luz en súplica de gracia y de la recepción del Espíritu Santo. Muchos están en el umbral del reino esperando únicamente ser incorporados en él".[2] En ese umbral es en el que aparece el miembro de un grupo pequeño y cuenta su experiencia.

En nuestras iglesias usamos un método sencillo, pero que hasta ahora nos ha dado excelentes resultados: Identificar, orar, atraer y entregar.

- *Identificar:* Llevar a cada miembro del grupo a identificar por lo menos cuatro personas que ellos conocen, que viven en su ciudad, que no conocen a Jesús y ellos quieren que lo conozcan.
- *Orar:* Dedicarnos a orar por esas personas. Cada miembro ora por su lista, el grupo ora por las listas de todos, y el ministerio de oración de la iglesia ora por todos los nombres.
- *Atraer:* Si te das cuenta, todas estas personas identificadas se han convertido en el público objetivo para ser alcanzado. Ahora cada ministerio y departamento traza las estrategias para atraer a ese grupo de personas. Por ejemplo: cuando el ministerio de la mujer realiza una estrategia, lo hace pensando en crear un espacio para que las hermanas puedan invitar a las damas de su lista. De igual manera en cada ministerio. Cuando se lleva a cabo lo que la iglesia hace, no son simples eventos en un calendario sino estrategias que forman parte de un proceso con un objetivo común: la "multiplicación".
- *Entregar:* Ahora llegó el momento de entregarles el mensaje de la salvación a los amigos que han sido atraídos. En nuestra iglesia se conformó un equipo de hermanos con el don de enseñanza para que acompañaran a los miembros del grupo donde estaban sus amigos, para estudiar la Biblia con ellos y prepararlos para el bautismo.

Misión

Cuando un grupo no vive las etapas del proceso, tiende a estancarse o a desaparecer. Es importante siempre recordar que la idea de la multiplicación llega a ser el objetivo de grupos pequeños saludables. El líder debe mantener la llama de la testificación en los integrantes del grupo.

La dinámica de la *silla vacía*

La dinámica de la *silla vacía* ayuda al grupo a recordar en todo momento que siempre hay alguien que puede sumarse, y para eso hay que traerlo. Esta dinámica consiste en colocar una silla que no esté ocupada por ninguno de los presentes en la reunión, y plantearles a los miembros del grupo el desafío de llenar ese lugar para la reunión siguiente.

Esta parte del proceso solo puede realizarse si el grupo está enfocado en ese propósito. Que el GPS entienda que la razón de su existencia es crear un espacio para la comunión, el compañerismo y la testificación, y que para ello se necesita un liderazgo comprometido y enfocado.

Los grupos y la misión en las grandes ciudades

Para muchos, hablar de las grandes ciudades es hablar de perversión y violencia, porque solo ven sus edificios y su vida nocturna, pero Dios ve personas. Muchas personas van a la ciudad buscando seguridad y estabilidad. Las grandes ciudades están de moda. En 1950, en el mundo solo existían dos ciudades con más de diez millones de habitantes: Nueva York y Londres; hoy existen más de veinte ciudades con este número de habitantes. Lo interesante es que doce de estas ciudades alcanzaron esta densidad poblacional en las últimas dos décadas. Las personas se están trasladando a las grandes ciudades, esta es la gran realidad de hoy.[3]

El problema no es que las ciudades crezcan, sino que la iglesia no crece al ritmo del crecimiento de las ciudades. Hace cincuenta años, la ciudad vivía del campo, y la economía de las naciones descansaba sobre la agricultura y la minería; hoy, el crecimiento económico de los países depende de sus ciudades y sus industrias. Esto ha provocado que las personas vayan a la ciudad buscando seguridad y estabilidad, permitiendo en el ambiente urbano una gran diversidad cultural y religiosa, haciendo de la evangelización en las zonas urbanas todo un desafío para la iglesia de hoy.

Con tantos habitantes, la ciudad se torna en un ambiente con poco espacio físico entre la gente, y al mismo tiempo hay muy poca conexión personal. Las personas viven en el mismo edificio, se encuentran en los pasillos, en los ascensores, en las tiendas y supermercados, pero no tienen una conexión personal. Viven solos, rodeados de personas. Los grupos pequeños se convierten en una comunidad que llena el vacío de la gente en las grandes ciudades. Por esta razón, me gustaría señalar algunos puntos en relación con la sensibilidad ministerial. Para desarrollar un ministerio de grupos pequeños saludables en nuestras grandes ciudades, debemos tener en cuenta lo siguiente:

- *Sensibilidad urbana:* La mayoría de la gente que vive en la ciudad disfruta al vivir en ella, y son atraídos por personas que también aman su ciudad. Por esta razón, es importante que el grupo ame la ciudad. Timothy Keller, citando al misionero urbano Bill Krispín, argumenta que en el campo hay más plantas que personas, en la ciudad hay más personas que plantas. Y como Dios ama a la gente mucho más que a las plantas, entonces ama a la ciudad más que al campo.[4]

- *Sensibilidad cultural:* Personas de todas las culturas llegan a las grandes ciudades. Muchas iglesias poseen un crecimiento basado en la llegada de personas de su propia cultura, y terminan haciendo de la iglesia una especie de club cultural. Nuestros grupos pequeños deben ser multiculturales, receptivos a quienes Dios atraiga, a todo aquel que desea salvar, sin importar su nacionalidad o su procedencia cultural.

- *Sensibilidad comunitaria:* Impulsa a tu grupo a ser vecino con la comunidad y no ser solo un consumidor de esta.

- *Sensibilidad profesional:* La diversidad profesional en las grandes ciudades es muy alta; por lo tanto, el grupo debe impulsar la integración de la fe y el trabajo. Debemos estar abiertos a la idea de tener grupos con una diversidad profesional donde haya un ambiente de respeto por la profesión de cada uno.

- *Sensibilidad lingüística:* Ser hispanos en Norteamérica no está definido por el idioma que hablamos sino por nuestra procedencia étnica (y geográfica). Por lo tanto, el grupo debe estar abierto a los idiomas que puedan hablar nuestras generaciones más jóvenes. También el líder del grupo debe poder hablar el lenguaje urbano, debe estar empapado con la jerga de su cultura, leer los libros que lee la ciudad, mirar las revistas, los *blogs* y estar enterado de las principales noticias, las películas y los dramas sociales que vive su ciudad. Muchas veces estamos más conectados con nuestros países de origen que con la ciudad donde vivimos.

- *Sensibilidad con la vida real:* Haz sentir al grupo que vive en este mundo. No idealices la fe cristiana, en este mundo hay depresión, divorcios, conflictos, soledad, etc. Habla de temas sociales en tu grupo, y preséntales a un Cristo que se interesa en sus necesidades reales.

1. Dave Earley y David Wheeler, *Evangelización es: cómo p. testificar de Jesús con pasión y confianza* (Nashville: B y H Publishig Group, 2012), 246.

2. Elena G. de White, *Servicio cristiano*, p. 72.

3. Timothy Keller, *Iglesia centrada* (Florida: Vida, 2012), p. 165.

4. *Ibíd.*, p. 181.

CAPÍTULO 8

Liderazgo

El enfoque ocurre solo con líderes enfocados

Uno de los grandes fracasos en nuestra búsqueda de nuevos líderes de grupos pequeños es que buscamos de manera equivocada. Tenemos un perfil prefabricado de lo que debe ser un exitoso líder de GPS, pero debemos recordar que Dios es quien escoge a los líderes. Dios ve lo que nosotros no vemos, por esta razón, debemos ver a todos los miembros del grupo como futuros líderes, y darles a todos la oportunidad de entrenarse y multiplicarse.

En la mayoría de las iglesias, el 10 por ciento de las personas hace el 90 por ciento del trabajo. La razón fundamental de este fenómeno es la falta de líderes entrenados para multiplicarse. En su libro *Explosión de liderazgo,* Joel Comiskey afirma que: "La multiplicación del grupo pequeño es algo tan importante para el ministerio de grupos pequeños que la meta del liderazgo del GPS no se completa hasta que los nuevos grupos también se multiplican".[1]

Muchos grupos cometen el error de enfocarse en el interior del grupo, en ellos y sus miembros. Se quedan juntos por años, y terminan estancándose. Es importante que cada líder de grupo pequeño tenga como objetivo primario "la multiplicación". Cuando el líder posee este objetivo y lo transmite al grupo, este se convierte en una especie de identidad o código genético del grupo y de la iglesia. Cada grupo que nazca llevará consigo ese ADN de multiplicación.

Liderazgo

Recuerda que los buenos líderes de grupos pequeños:

- Construyen sus propios caminos.
- Están dispuestos a arriesgarse por Cristo.
- Aceptan desafíos.
- Son pioneros.
- Están prestos a innovar y experimentar para encontrar nuevas y mejores maneras de hacer las cosas.
- Están abiertos a nuevas ideas.
- Aprenden de sus fracasos.
- No temen cometer errores.
- Son diligentes, ya que "la diligencia preside al éxito".
- Aprenden a manejar las críticas.

Miremos algunas características que marcan la diferencia en un líder de enfoque:

Trabaja en equipo

George Barna, en *The Power of Team Leadership* [El poder del liderazgo en equipo], enfoca no solo el beneficio de alcanzar los objetivos sino el beneficio personal para el líder y sus dirigidos, y dice que "formamos parte de un equipo en todo nuestro diario vivir, nuestras familias, los trabajos, la iglesia, etc.".[2] Es verdad, los equipos se hacen presentes en todos los aspectos del desarrollo humano.

El liderazgo de grupos pequeños desarrolla no solo a uno sino a todos sus miembros. No solo se trata de producción u objetivos, sino de también de desarrollo y compañerismo. Cuando cada miembro del equipo se siente aceptado y mayormente motivado, la creatividad aumenta y, por ende, los resultados terminan siendo mejores. El plan de Dios es que su pueblo funcione como un equipo; por esta razón, se le compara con "el cuerpo de Cristo" (1 Corintios 12:27).

Promueve el desarrollo de los dones espirituales

En el capítulo doce de su primera carta a los corintios, Pablo utiliza la ilustración del cuerpo de Cristo para ejemplificar la diversidad de dones y su función en la iglesia de Dios. "Los dones espirituales son el método usado por el Espíritu Santo para energizar el ministerio de cada miembro del grupo".[3] Dios ha otorgado a sus hijos dones especiales para que desarrollen ministerios para la testificación.

El líder de grupos pequeños motivará a cada miembro a descubrir y desarrollar sus dones espirituales. Así como los órganos en el cuerpo humano poseen una función, cada miembro del grupo pequeño es un órgano funcional del cuerpo de Cristo. El líder promueve la unidad por medio de la diversidad en su grupo.

Si el miembro del grupo pequeño no encuentra su utilidad en la iglesia, terminará desanimándose y frustrándose en su vida espiritual. Por tanto, es positivo que "el líder exhorte a sus miembros a conocer sus dones, para usarlos de la mejor manera al servicio de la iglesia para gloria de Dios".[4] La gran diversidad en nuestra iglesia es nuestra fortaleza. Cada miembro del grupo sentirá que tiene una función, y todos trabajarán en el reino de Dios.

Vive en relación con Dios

Joel Comiskey realizó una encuesta entre 700 líderes de grupos pequeños. Se les preguntó: "¿Cuánto tiempo invierten en las devociones diarias?". También se les preguntó si su grupo se había multiplicado y, de ser así, cuántas veces. Los resultados fueron reveladores y contundentes: "Aquellos que invertían noventa minutos o más en sus devociones diarias multiplicaron su grupo dos veces más que aquellos que invertían menos de media hora".[5] Quedó demostrado que el éxito en el crecimiento numérico del grupo está en relación con la vida devocional del líder.

Los grupos pequeños son un ejercicio de Dios, y su éxito solo está asegurado mediante una conexión diaria con Dios por medio de la oración, el estudio de la Biblia y la testificación.

Liderazgo

Ora: "Orar es el acto de abrir nuestro corazón a Dios como a un amigo. No es que se necesite esto para que Dios sepa lo que somos, sino a fin de capacitarnos para recibirlo. La oración no baja a Dios hacia nosotros, antes bien nos eleva a él".[6]

- *Por ti y los tuyos:* Debemos desarrollar la disciplina de orar cada día. Presentarle a Dios en oración nuestras vidas, nuestras debilidades. Colocar nuestras familias en las manos de Dios. Esta actividad tiene que ser consistente y placentera.
- *Por los miembros del grupo:* Preséntale al Señor a los miembros del grupo. Intercede ante Dios por ellos.
- *Por los no creyentes:* La oración intercesora a favor de los perdidos tiene un poder especial. El líder del grupo debe orar por los inconversos y motivar a los miembros a que lo hagan también. Cuando Elena G. de White escribió a alguien sobre la oración intercesora en su favor, mencionó que Dios había escuchado "las oraciones de las personas con las que usted rehusó conectarse, aquellas que aman a Dios y guardan sus mandamientos".[7] Aun cuando los beneficiarios de las oraciones no las pidan la misericordia divina llega, no en contestación suya sino en respuesta a las oraciones de intercesión realizadas por otros creyentes.

Cuando estudiaba en la facultad de Teología, aprendí una técnica para mi ejercicio personal de oración. Jairo Utate, decano de Vida Estudiantil, mostró ante su equipo de trabajo una pequeña tarjeta. Esa "tarjeta de oración" contenía motivos de súplicas, nombre de personas, agradecimientos y algunas otras notas personales. Él marcaba aquellas cosas que Dios le respondía, y registraba la fecha. Inicié esta práctica y todavía, en los momentos de oración personal, suelo sacar mi tarjeta y presentar al Señor cada cosa anotada allí. La idea de una "tarjeta" podría enfocar los momentos de oración de un líder de grupos pequeños.

Estudia la Palabra de Dios: "Cuanto más escudriñéis las Escrituras con corazón humilde, tanto mayor será vuestro interés".[8] El estudio sistemático de la Palabra de Dios transforma el corazón. El estudio de la Biblia rectifica los caminos e instruye en toda verdad (2 Timoteo 3:16). En las Escrituras hay miles de gemas de la verdad que yacen escondidas para el que busca en la superficie. La mina de la verdad no se agota nunca.

Puedes estudiar la Biblia utilizando como guía la lección de escuela sabática o un libro bíblico de tu elección. Recuerda que el estudio no debe ser únicamente cognitivo. Medita en la Palabra de Dios, pregúntale al Señor: "¿Qué me quieres decir hoy por medio de tu Palabra?"

Cuéntale a alguien de Jesús: Cuando un pecador es redimido, el cielo se llena de júbilo: "Hay gozo en el cielo" (Lucas 15:7). El gozo del cielo contagia al instrumento que Dios usó para llegar a la persona que lo necesitaba. Fuimos creados para la gloria de Dios (Isaías 43:7). Qué mejor forma de glorificarlo que mediante la salvación de las almas. "Si usted pertenece realmente a Cristo, tendrá oportunidades de testificar por él".[9] Contarles a otros de Jesús es una oportunidad divina que permite que el ser humano crezca en su vida espiritual.

En su *Manual del líder,* el pastor Daniel Durán nos da diez principios esenciales del crecimiento para líderes de grupos pequeños:

1. Depende enteramente de Dios.
2. Ten un compromiso con el ministerio y la evangelización.
3. Promueve una atmósfera positiva en tu grupo.
4. Mantén el énfasis en establecer metas.
5. Vive las etapas de tu grupo.
6. Da seguimiento personal a cada miembro y visitante.
7. Establece vínculos estrechos con la iglesia local y la Asociación (Conferencia).
8. Mantén el grupo pequeño, promueve la multiplicación.
9. Trabaja para establecer un liderazgo sólido.
10. Mantén la disciplina y el compromiso.[10]

Liderazgo

Estilos de liderazgo

El líder pasa la mayor parte de su tiempo orientando y ayudando a los demás. Esto nos lleva a conocer a aquellos por quienes nos interesamos. Además, nos hace dejar en segundo plano el conocimiento de nosotros mismos. El líder debe invertir tiempo en conocerse a sí mismo, poniendo sus fortalezas y debilidades en las manos de Dios para que el Espíritu Santo lo transforme. Cada líder debería conocer su tendencia en su estilo de liderazgo, pues conocernos como líderes nos ayuda a mejorar nuestras relaciones.

El renombrado profesor de liderazgo Aubrey Malphurs, en su libro *Being Leaders* [Siendo líderes], describe cuatro tipos principales de liderazgo que suelen combinarse en los líderes, dando un perfil de liderazgo. Estos estilos de liderazgos son: director, inspirador, diplomático y analítico.[11]

Los directores: estilo de liderazgo fuerte. Este estilo de liderazgo es muy dado a lo práctico, se concentra mucho en las tareas y las responsabilidades. Siempre ve una oportunidad para ser creativo, promueve los cambios y es muy visionario. A estos líderes les encantan los desafíos, pues son muy emprendedores; también poseen un ritmo de trabajo muy rápido y eficiente.

Este tipo de liderazgo suele concentrarse tanto en la parte práctica y en los objetivos, pero a veces pierde de vista la sensibilidad de las personas que le rodean. Por esta razón, es importante que este liderazgo cuide mucho sus relaciones interpersonales, consciente de que las personas son lo más importante. Por la fortaleza de su liderazgo, este líder tendrá la tendencia a dirigir todo el tiempo. Es importante estar consciente de esto, ya que le tocará enseñar a otros a dirigir, y si no se contiene, querrá dirigirlo todo en todo momento. Por ello, otros no crecerán en su liderazgo. Es importante recordar que no deberá tomar decisiones apresuradas, y siempre habrá de tomar en cuenta al equipo. Este liderazgo debería siempre mantener los oídos listos para escuchar consejos y estar dispuesto a rendir cuentas. En este estilo de liderazgo, involucrar a la mayor cantidad de gente posible se convertirá en una clave para el éxito.

Los inspiradores: estilo de liderazgo que se centra en las personas. A diferencia del liderazgo anterior, los inspiradores están más enfocados en las personas, son grandes motivadores y se concentran en las necesidades sociales. Sus estrategias evangelizadoras suelen estar enfocadas en resolver los problemas sociales. Les agrada conectarse con las necesidades de la comunidad, y generalmente son agentes de cambio. Este estilo de liderazgo posee un ritmo de trabajo ágil y efectivo; también es muy dado a trabajar con libertad, y poder expresarse y crear nuevas estrategias.

Muchas veces, estar tan enfocados en que la gente esté bien y complacida nos lleva a evadir la resolución de conflictos. Este estilo de liderazgo debe trabajar constantemente en resolver conflictos sin huir de ellos, ya que tiende a evadirlos y procurar quedar bien con todas las partes. Muchas veces se verá impulsado de manera inconsciente a querer ser el centro de atención. ¡Recuerda que el centro es Jesús!

Los diplomáticos: estilo de liderazgo que también se enfoca en las personas. A diferencia de los líderes inspiradores, el diplomático se enfoca en servir de apoyo en situaciones de necesidad. Es un estilo de liderazgo amigable, paciente, y muy preocupado por los demás. Uno de los principales puntos fuertes de estos líderes es su capacidad de trabajo en equipo; sin embargo, suelen dar la impresión de poseer un ritmo de trabajo lento. Tienden a resistirse al cambio, ya que este les asusta, sin embargo, son líderes muy leales, y les preocupa desagradar a los demás. Su nivel de responsabilidad no les permite involucrarse en más de lo que pueden manejar bien, pues son muy responsables y asertivos.

En las manos del Espíritu Santo, este estilo de liderazgo debe comenzar a ver oportunidades en el cambio y abrirse a la proactividad. No debe perder de vista los objetivos, pues estos también son importantes. Debe promover más el consenso, y enfocarse más en lo práctico y proactivo.

Los analíticos: estilo de liderazgo centrado en la precisión. Este estilo de liderazgo también se centra y se enfoca en las tareas. Se basa mucho en los hechos y en los detalles, y les gusta enseñar con profundidad. Ofrece un trabajo de alta calidad enfocado en los detalles. Estos líderes se sienten muy cómodos liderando en funciones específicas, pues buscan precisión. Son líderes disciplinados y de muy buena iniciativa. Son conocidos en muchos casos como modelos de líder-maestro.

Este estilo de liderazgo necesita abrirse más a la creatividad, para aprender a enfrentar situaciones difíciles y conflictivas con determinación. Por tratarse de un estilo de liderazgo tan preciso, este líder suele desanimarse cuando las cosas no salen con los detalles que se planificaron; por lo tanto, debe aprender a ver el fracaso como una oportunidad para aprender, sin quedarse estancado, siempre siguiendo hacia adelante. A veces dan la impresión de ser negativos, ya que avanzan hasta entender todos los detalles. Siempre es importante aprender a confiar en Dios en todo momento, y avanzar no por nuestra seguridad sino por la seguridad que Dios nos da.

Estos cuatro principales estilos de liderazgo se combinan, dando en total unos dieciséis estilos de liderazgo. Es importante que cada líder de grupo pueda conocer su estilo y evaluar sus fortalezas y sus debilidades. Siempre es bueno reconocer que no se puede ser bueno en todo, no obstante, se puede trabajar para mejorar nuestro liderazgo. Aquellas cosas que como líderes no dominamos no pueden ser llamadas defectos sino limitaciones y áreas para trabajar. Necesitas conocer, cultivar y maximizar tus puntos fuertes. Los buenos líderes aprenden y buscan siempre crecer en experiencia.

La combinación de los estilos primario y secundario

Director
- director-inspirador
- director-diplomático
- director-analítico

Inspirador
- inspirador-director
- inspirador-diplomático
- inspirador-analítico

Diplomático
- diplomático-director
- diplomático-inspirador
- diplomático-analítico

Analítico
- analítico-director
- analítico-inspirador
- analítico-diplomático

El anfitrión del GPS

Mientras que en el Antiguo Testamento se resalta a los patriarcas en la historia de supervivencia del pueblo de Israel, en el Nuevo Testamento se destacan aquellos que abrieron las puertas de sus casas para que la iglesia primitiva se esparciera. Si bien es cierto que el hogar no es el único lugar para que un grupo pequeño se reúna, sí es la base para el surgimiento y desarrollo del grupo. Consideremos algunos ejemplos de "anfitriones" que permitieron que la iglesia se reuniera en sus casas en el tiempo de la iglesia primitiva.

Se reunían en casa de:	Referencias bíblicas:
María	Hechos 12:12
Priscila y Aquila	Romanos 16:3-5, 1 Corintios 16:19
Ninfas	Colosenses 4:15
Filemón	Filemón 2
Gayo	Romanos 16:23
Jasón	Hechos 17:5
Lidia	Hechos 16.40
Aristóbulo	Romanos 16:10
Narciso, Asíncrito, Flegonte, Hermas, Patrobas, Hermes, Filólogo, Julia, Nereo y su hermana, y Olimpas	Romanos 16: 11, 14-16

Liderazgo

Cada una de estas personas fueron conocidas por su profundo amor a Dios y su obra, y por poseer el maravilloso don de la hospitalidad. Para que un GPS sea exitoso y se multiplique, debemos tener buenos anfitriones dispuestos a abrir las puertas de su casa y así proveer un espacio físico agradable para las reuniones del grupo. Un gran ejemplo de esto se destaca en los hallazgos encontrados en 1933 en Dura Europos. El famoso descubrimiento, conocido como "la casa de la iglesia de Dura Europos" o "iglesia-casa de Dura Europos", data del 232/233 d.C., y muestra una casa familiar condicionada para recibir a un grupo de cristianos.[12] Estas ruinas manifiestan cómo el dueño estuvo dispuesto a derribar una pared para hacer el cuarto más grande y acogedor para los que se reunían allí. Sin lugar a dudas, el papel del anfitrión en un grupo pequeño es parte fundamental para el éxito del grupo.

Priscila y Aquila: anfitriones con pasión por las almas

Con la intención de comprender más el papel del anfitrión en los grupos pequeños, me gustaría dar un vistazo a los anfitriones más mencionados en el Nuevo Testamento: Priscila y Aquila.

Priscila y Aquila eran una pareja de esposos que eran amigos entrañables de Pablo. Aquila era oriundo del Ponto (Hechos 18:2) y se dedicaba a fabricar tiendas (vers. 3). Pablo se quedó con ellos en Corinto, y juntos trabajaban en la confección de tiendas y predicando el evangelio. Pablo se valió de las relaciones que esta pareja tenía con la gente y su facilidad para entrar en contacto con el pueblo que le permitía su trabajo para acercarse a las personas y presentarles a Jesús. El texto establece que estaban "recién venido de Italia" (ver. 2). En 49 d.C., Claudio había expulsado de Roma a todos los judíos por causar disturbios; por este motivo, Aquila y Priscila se trasladaron a Corinto.[13]

Esta familia abrió las puertas de su hogar a sus hermanos cristianos, al extremo de arriesgar la vida por ellos (Romanos 16:4). En su casa se congregaba un grupo de creyentes, al que Pablo llama la "iglesia de su casa" (vers. 5). Romanos 16:3-5 describe que realizaban una obra muy necesaria para el crecimiento del pueblo de Dios. Luego viajaron a Éfeso con Pablo, y le ayudaron a predicar el evangelio de Jesús en las sinagogas (Hechos 18:18-21). En Éfeso conocieron a Apolos, quien predicaba con pasión pero no tenía el conocimiento completo de la verdad. Sin avergonzarlo ni exhibirlo, lo llevaron aparte y le enseñaron con exactitud el camino de Dios (vers. 24-28). Aquila y Priscila amaban la instrucción más que el castigo.

En Éfeso volvieron a hospedar a Pablo, y él mismo, cuando escribe a la iglesia en Corinto, registra que también allí esta familia tenía una iglesia en su casa (1 Corintios 16:19). Aquila y Priscila mantenían una iglesia en su hogar donde estuvieran viviendo, y gozaban del aprecio de los creyentes. Cuando Pablo le escribe a Timoteo, aprovecha la oportunidad para enviarles saludos (2 Timoteo 4:19).

El ministerio de esta pareja como "anfitriones" fue determinante para el crecimiento de la iglesia primitiva. Resaltemos algunas cualidades que poseía esta pareja de anfitriones, con la finalidad de aplicarlas en nuestros grupos pequeños:

- *Consagración a Dios y su obra:* Pablo reconoce su valor para el crecimiento de la obra de Dios entre los gentiles. Revelaban un profundo amor por Dios y un gran compromiso con su iglesia.
- *Hospitalarios:* recibieron en su casa varias veces a Pablo, y dondequiera que vivían abrían las puertas de su casa y desarrollaban un grupo pequeño.
- *Buenas relaciones:* La Biblia registra que vivieron en Roma, Corinto y Éfeso, y en todos estos lugares formaron una iglesia en su casa. Pablo resalta el hecho de que se arriesgaron hasta la muerte por los hermanos. Esta pareja mantenía buenas relaciones con su vecindario. Aun pasado el tiempo, Pablo los recordó con cariño y les mandó saludos.
- *Amor por la gente:* Priscila y Aquila no solo se arriesgaron por

los creyentes, sino que se involucraron en nuevas aventuras misioneras junto a Pablo. Fueron hasta Éfeso a predicar el evangelio. Cuando conocieron a Apolos y advirtieron su falta de conocimiento, no lo reprendieron, sino que le enseñaron con tacto y amor.

- *Tenían clara su misión:* La identidad cristiana en ellos estaba muy clara y sabían por qué estaban ahí. Entendían que otros tenían que llegar a la salvación por medio de la testificación de ellos.

1. Joel Comiskey, *Explosión de liderazgo* (Barcelona: Clie, 2002), p. 39.
2. George Barna, *The Power of Team Leadership* (Colorado Springs, Colorado: WaterBrook Press, 2001), p. 21.
3. Joel Comiskey, *El grupo celular lleno del Espíritu Santo* (Moreno Valley, California: CCS Publishing, 2011), p. 92.
4. Thom Rainer, *Soy miembro de la iglesia: La actitud que marca la diferencia* (Nashville, Tennessee: B y H Publishing Group, 2013), p. 16.
5. Joel Comiskey, *Dirige: Guía a un grupo pequeño a experimentar a Cristo* (Moreno Valley, California: CCS Publishing, 2011), p. 44.
6. Elena G. de White, *El camino a Cristo*, p. 93.
7. Elena G. de White, *Testimonios acerca de conducta sexual, adulterio y divorcio*, p. 164.
8. Elena G. de White, *Consejos para la iglesia*, p. 153.
9. *Ibíd.*, p. 295.
10. Daniel Durán, *Manual del líder* (Santo Domingo: ACD, 2011), pp. 53, 54.
11. Aubrey Malphurs, *Being Leaders* (Grand Rapids: Baker Book, 2003), pp. 96-101.
12. Charles F. Pfeiffer, *Diccionario bíblico arqueológico* (El Paso, Texas: Editorial Mundo Hispano, 2002), p. 225.
13. Samuel Vila Ventura, *Nuevo diccionario bíblico ilustrado* (Barcelona: Editorial Clie, 1985), p. 169.

CAPÍTULO 9

Servicio

*Impulsar los ministerios de compasión y esperanza
de acuerdo con los dones adquiridos.*

En esta etapa, el desarrollo de ministerios de compasión y esperanza enfoca la multiplicación. El cristiano es un agente de cambio positivo que llega a darle sentido al ambiente que lo rodea. Jesús lo denominó como "la sal de la tierra" y "la luz del mundo" (Mateo 5:13-16), destacando la doble función de la "sal" y la "luz": sazonar y preservar los alimentos, e iluminar y guiar de forma consciente y segura. El cristiano está llamado a modelar compasión y esperanza mediante su estilo de vida. Elena G. de White afirma que "todo aquel que ha recibido la iluminación divina debe alumbrar la senda de aquellos que no conocen la Luz de la vida".[1] Para lograr este objetivo, Dios nos ha dado dones espirituales por medio del Espíritu Santo.

Los dones espirituales

En esta etapa es importante tener muy claro el hecho de que cada miembro del grupo está llamado a ser un ministro para otros, así como el manejo de las estructuras del grupo. El desarrollo de un grupo saludable permitirá una multiplicación saludable. Por esta razón, en esta sección daremos un vistazo al tema de los dones espirituales y el ministerio de todos los creyentes, con la finalidad de abrir paso a la multiplicación del grupo de manera saludable.

Servicio

En su primera carta, el apóstol Pedro nos dice que hemos recibido capacidades especiales de Dios para servirle: "Cada uno según el don que ha recibido, minístrelo a los otros, como buenos administradores de la multiforme gracia de Dios" (1 Pedro 4:10). El apóstol destaca que:

1. Cada uno ha recibido dones.
2. Con esos dones estamos llamados a desarrollar un ministerio en favor de los demás.
3. Estamos llamados a ser buenos administradores de estos dones, trabajando en favor de la proclamación de la gracia de Dios.

También el apóstol Pablo entiende que cada cristiano está llamado a ministrar a otros mediante el don que Dios le ha otorgado. "Y él mismo constituyó a unos, apóstoles; a otros, profetas; a otros, evangelistas; a otros, pastores y maestros, a fin de perfeccionar a los santos para la obra del ministerio, para la edificación del cuerpo de Cristo" (Efesios 4:11, 12). Esta idea deja fuera el concepto no bíblico de que solo el pastor o los líderes de la iglesia son llamados al ministerio. En realidad, cada creyente es llamado a ministrar. Dios desea que cada creyente sea perfeccionado en el ministerio para el que ha sido llamado.

Cuando explica la labor de Pablo en la instrucción de los hermanos de Éfeso en el perfeccionamiento del ministerio, Elena G. de White argumenta que:

> Fue abrigando un espíritu humilde y susceptible a la enseñanza cómo estos hombres adquirieron la experiencia que los habilitó para salir como obreros al campo de la mies. Su ejemplo presenta a los cristianos una lección de gran valor. Muchos hacen tan solo poco progreso en la vida divina porque tienen demasiada suficiencia propia para ocupar la posición de alumnos. Se conforman con un conocimiento superficial de la Palabra de Dios. No desean cambiar su fe o práctica, y por ende no hacen esfuerzos por adquirir mayor conocimiento.[2]

Cada creyente debía ser entrenado y ayudado para desarrollar el ministerio que Dios le había encomendado. En varias ocasiones se refiere a la responsabilidad ministerial de los santos como una labor de administración que debe ser realizada con responsabilidad y dedicación (1 Pedro 4:10). Esta labor no es responsabilidad de uno, sino de todos en el reino de Dios. El llamado al ministerio es de todos y cada uno de los salvados por Cristo.

Dios te ha llamado a desarrollar un ministerio sagrado por medio del liderazgo de los grupos pequeños. Te ha dado dones espirituales para que puedas realizar esta obra con responsabilidad y dedicación. Dios nos ha capacitado para el ministerio y para ser sus testigos mediante su Espíritu Santo. "Recibiréis poder, cuando haya venido sobre vosotros el Espíritu Santo, y me seréis testigos en Jerusalén, en toda Judea, en Samaria, y hasta lo último de la tierra" (Hechos 1:8). El Espíritu Santo concede al cristiano una serie de dones como herramientas que lo capacitan para contribuir a la edificación de la iglesia de Cristo. Miremos algunas definiciones de lo que es un "don espiritual":

- Un don espiritual es cualquier destreza que imparte el poder del Espíritu Santo, y se usa en cualquier ministerio de la iglesia.[3]
- Los dones espirituales son ministerios o habilidades que el Espíritu Santo confiere a los cristianos para la edificación de la iglesia.[4]
- Los dones espirituales son dones especiales otorgados por el Espíritu Santo a los diversos miembros de la iglesia, para provecho.[5]
- Los dones espirituales son recursos extraordinarios que el Señor Jesucristo, mediante el Espíritu Santo, puso a disposición de la iglesia, procurando: 1) El perfeccionamiento de los santos. 2) Aumentar el conocimiento, el poder y la proclamación del pueblo de Dios. 3) Llamar la atención de los incrédulos a la realidad divina.[6]

Servicio

En cada una de las definiciones podemos encontrar al menos tres elementos comunes: 1) los dones espirituales son un regalo de Dios por medio del Espíritu Santo; 2) son entregados para el beneficio de la iglesia; y 3) nos capacitan para ser mejores testigos de Jesucristo y su mensaje redentor.

En 1 Corintios 12:1 Pablo motiva a cada miembro del cuerpo de Cristo a no desconocer el tema de los dones espirituales: "No quiero, hermanos, que ignoréis acerca de los dones espirituales". No obstante, el apóstol presenta la adquisición de dones como una prueba del poder del Dios que adoramos. "El poder que antes influía sobre ellos había sido quebrantado cuando aceptaron al Salvador, y el poder de Dios había sido confirmado especialmente en ellos por los dones del Espíritu".[7]

Cuando Jesús ascendió al cielo dejó la promesa del Espíritu Santo, y con él los dones espirituales: "Subiendo a lo alto, llevó cautiva la cautividad, y dio dones a los hombres" (Efesios 4:8). Recibimos los dones espirituales de parte del Espíritu Santo, tal y como lo afirma Pablo: "Todas estas cosas las hace uno y el mismo Espíritu, repartiendo a cada uno en particular como él quiere" (1 Corintios 12:11). Al entregar este regalo, Dios desea equipar a su iglesia para su edificación: "Hágase todo para edificación" (1 Corintios 14:26).

El propósito de regalo especial es ministrar a los demás: "Cada uno según el don que ha recibido, minístrelo a los otros, como buenos administradores de la multiforme gracia de Dios" (1 Pedro 4:10). Todo, con el objeto ineludible de "perfeccionar a los santos para la obra del ministerio, para la edificación del cuerpo de Cristo" (Efesios 4:12). En ambos textos encontramos una palabra en común que describe la forma en que el uso de los dones que recibimos puede edificar a la iglesia de Cristo; la palabra "ministrar": "ministrar a los santos" y "la obra del ministerio".

El ministerio de todos los creyentes

Esta palabra "ministerio" o *diakonías* describe el servicio voluntario en contraposición al servicio de esclavitud. Más bien describe un servicio abnegado a favor de los demás, movido por compasión, tal y como Jesús lo presentó durante su ministerio. Es "exaltar el servicio y conectarlo con el amor a Dios, ya que la vida de la comunidad es, por tanto, una vida de servicio".[8] Podríamos resumir el concepto como "el desempeño de un servicio amoroso". Los dones espirituales son dados a los miembros del cuerpo de Cristo con el objetivo de servir a la causa de Cristo.

El apóstol Pablo exhorta a la iglesia a desear los dones espirituales: "procurad los dones espirituales" (1 Corintios 14:1), "anheláis dones espirituales, procurad abundar en ellos" (14:12). Cada seguidor de Jesús, miembro del cuerpo de Cristo, debe sentir un compromiso apasionado por recibir los dones espirituales. Robert Banks argumenta en este sentido que:

> Los dones espirituales poseen un carácter revelador (*fanerosis*: manifestación), una calidad dinámica (*energema*: operación eficaz), y su propósito social (*diakonía*: servicio) (1 Corintios 12:4 -6). Así pues, de ellos se dice que son maneras específicas y eficaces por las que Dios hace partícipes a los creyentes de lo que él es y tiene, a fin de que sean fortalecidos corporativamente. Los dones espirituales no son de carácter temporal, sino características permanentes de la vida de la comunidad. No fueron dados meramente para ayudar a las iglesias en sus inicios, sino como componentes principales de sus reuniones cada vez que se reunieran. Según Pablo, solo cuando "venga lo perfecto" (13:10), cuando toda comunicación de carácter intermediario entre Dios y la humanidad sea abolida, entonces los dones llegarán a su fin.[9]

En un sentido general podemos entender que los dones espirituales son un regalo de Dios por gracia a su iglesia. Estos son entregados por el Espíritu Santo para la edificación de la iglesia, el cuerpo de Cristo. Los dones no fueron dados a los individuos primordialmente para su uso personal, sino para la edificación o fortalecimiento de la comunidad. Cada cristiano debe desear y pedir la presencia de los dones en su vida, ya que los dones han sido designados por Dios para abarcar todos los aspectos de la vida diaria del creyente.

Nuestra combinación de dones no debe ser motivo para que nos sintamos mejores que los demás u orgullosos por nuestra exclusividad. Tampoco estamos llamados a sentir envidia de los demás hermanos en la fe a causa de sus dones. Los dones espirituales son otorgados a cada miembro del cuerpo de Cristo para que se complementen mutuamente. Aunque el objetivo de este libro no es el desarrollo de dones espirituales, incluiré una lista genérica de dones espirituales con la finalidad de motivar el estudio sobre el tema. Existen diferentes recursos o pruebas que te ayudarán a tener una idea de los dones que posees. Recuerda que solo desarrollas un ministerio cuando pones en práctica el don que el Espíritu Santo te ha otorgado.

LISTA DE DONES ESPIRITUALES		
1. Organización	11. Enseñanza	21. Liderazgo
2. Misionero	12. Lenguas	22. Sufrimiento
3. Celibato	13. Sabiduría	23. Misericordia
4. Discernimiento	14. Pobreza voluntaria	24. Milagros
5. Evangelización	15. Trabajo manual	25. Apostolado
6. Consejería	16. Ayuda	26. Cuidado pastoral
7. Fe	17. Hospitalidad	27. Profecía
8. Generosidad	18. Oración	28. Servicio
9. Liberación	19. Interpretación	29. Música
10. Sanidad	20. Concomiento	30. Creatividad artística

Deja que Dios influya sobre ti por medio del don o dones que te ha otorgado. Sigue estos pasos y permite que el ministerio fluya:

Paso	Descripción	Completado
1.	Abre tu corazón a Dios en oración	
2.	Intenta descubrir tu don y aplicarlo	
3.	Conoce sobre los dones espirituales y su significado	
4.	Descubre tu don e intenta ponerlo en práctica	
5.	No te desanimes, sigue intentándolo	
6.	Comprueba que posees el don de manera objetiva	
7.	Busca confirmación de tu don con personas de tu confianza	

Desarrolla el ministerio que Dios te ha dado

El cristiano da sentido, transforma para bien, mejora el ambiente donde está, no como una estrategia forzada sino porque en Cristo es la sal y la luz de la tierra, una luz que no puede ser escondida, ya que estamos reflejando a Jesús en nuestras acciones. Mucha razón tiene Federico Bertuzzi al afirmar que, "no seremos muy efectivos en la testificación si nuestras vidas no reflejan algo del amor y la pureza de Jesús".[10]

Christian Schwarz, el reconocido investigador sobre crecimiento de la iglesia, nos señala una serie de características básicas de una iglesia saludable que crece de forma natural. Entre estas características se encuentran el ministerio según dones y la evangelización según necesidades.[11] Una iglesia que facilite el desarrollo de ministerios basados en las capacidades que Dios les ha entregado a sus miembros impactará a otros siendo sal y luz en el mundo que la rodee. De igual manera, cuando las estrategias evangelizadoras se desarrollan basadas en las necesidades de aquellos que deseamos alcanzar, la iglesia deja de ser un edificio en la esquina y se convierte en "la sal y la luz" que la comunidad necesita.

Como iglesia, estamos comprometidos a proveer un ambiente donde el cristiano pueda ser "la luz y la sal" de su entorno. Para esto debemos tomar en cuenta cuatro principios básicos en nuestros grupos pequeños:

Servicio

1. *Motiva a cada miembro de tu grupo pequeño a identificar y desarrollar el don que Dios le ha dado.* En una encuesta empírica en nuestra iglesia, se encontró que más del 75 por ciento de los miembros no sabía en qué forma Dios los podía usar, y se consideraban inactivos en la testificación. De ahí que debemos dedicar una gran porción del tiempo para entrenar, ayudar a descubrir y desarrollar los dones espirituales en cada grupo pequeño, y hacer lo mismo con cada nuevo converso que ingresa en la iglesia. Como líder de grupo pequeño, conduce a tus miembros a relacionarse con el don que Dios les ha dado, y marcarán la diferencia.

2. *Conoce tu comunidad y entérate de sus necesidades.* Por medio de las autoridades, organizaciones de beneficencia y escuelas podemos enterarnos de los proyectos que se desarrollarán en la comunidad. En nuestro entorno existe una necesidad alarmante de formación en estas áreas: educación familiar, prevención y tratamiento de enfermedades producidas por malos hábitos, atención a indigentes, y servicios legales de inmigración. Identifica con tu grupo pequeño las necesidades locales y sean la diferencia.

3. *Encuentra la simbiosis en lo que la comunidad necesita y los dones manifiestos en tu iglesia.* En nuestra iglesia se manifiesta una diversidad de dones, y atender cada necesidad es una labor maratónica y muchas veces frustrante e imposible; sin embargo, al satisfacer las necesidades de acuerdo con los dones manifiestos en los miembros de iglesia, da paso a una gran fluidez y constancia. Los ministerios de compasión deben estar definidos por la simbiosis entre la necesidad y los dones existentes. De lo contrario, no podremos enfrentar las demandas sociales, o no estaremos tocando las realidades locales. Desarrolla ministerios de compasión y esperanza con tu grupo pequeño, procurando relacionar sus dones con las necesidades locales existentes, y marcarán la diferencia.

4. *No institucionalices los ministerios de esperanza y compasión; déjalos que fluyan, y sé un facilitador.* Institucionalizar los ministerios y encajarlos en un organigrama o estrategia dictada mata el compromiso. No limites el desarrollo de los dones a través de ministerios de compasión

y esperanza. Disminuye el protocolo y facilita las acciones esperanza-
doras y compasivas. Atrévete a ser un facilitador, abre las puertas de tu
grupo pequeño, y sean la diferencia.

1. Elena G. de White, *El Deseado de todas las gentes*, p. 127.

2. Elena G. de White, *Los hechos de los apóstoles*, pp. 229, 230.

3. Wayne Grudem, *Doctrina bíblica: Enseñanzas esenciales de la fe cristiana* (Miami, Florida: Editorial Vida, 2005), p. 396.

4. Christopher Zoccali, *Dones espirituales* (Bellingham, Washington: Lexham Press, 2014).

5. Siegfried H. Horn, *Diccionario bíblico adventista* (Buenos Aires: Asociación Casa Editora Sudamericana, 1995), p. 336.

6. Claudionor Corréa de Andrade, *Diccionario teológico* (Miami, Florida: Patmos, 2002), p. 131.

7. Francis D. Nichol y Tulio N. Peverini, editores, *Comentario bíblico adventista del séptimo día*, t. 6 (Buenos Aires: Asociación Casa Editora Sudamericana, 1996), p. 763.

8. Gerhard Kittel, Gerhard Friedrich, y Geoffrey W. Bromiley, *Compendio del diccionario teológico del Nuevo Testamento* (Grand Rapids, Michigan: Libros Desafío, 2002), p. 155.

9. Robert Banks, *La idea de comunidad de Pablo* (Viladecavalls, Barcelona: Editorial Clie, 2011), p. 104.

10. Federico Bertuzzi, *Preparados para servir* (Barcelona, Spain: Tear Fund y Scripture Union, 1989), p. 40.

11. Christian Schwarz, *Desarrollo natural de iglesia* (Barcelona, Spain: Editorial Clie), pp. 24-34.

RECOMENDACIONES:
Etapa de establecimiento

Como vimos, el éxito del GPS en esta etapa consiste en el sano desarrollo de una visión de multiplicación, un liderazgo contagioso y enfocado en el crecimiento del grupo, y unos anfitriones dispuestos a hacer cosas grandes para Jesús. Recuerda que en esta etapa el enfoque del grupo se puede confundir debido a la constante convivencia, por esta razón, durante las reuniones es vital poner atención al momento de las obras.

Es importante que en cada reunión se repasen las estrategias que se están aplicando para alcanzar a otros como GPS y como iglesia. En ese momento, cada miembro puede describir su experiencia de testificación y el nivel de relación que está desarrollando con las personas identificadas en la lista. El líder puede tener una lista con los nombres de aquellos por quienes se está orando, junto a miembros del grupo que los identificaron (en el apéndice incluiré un ejemplo de la forma como se puede organizar esta lista). Mencionaremos algunas recomendaciones prácticas que nos ayudarán a desarrollar con éxito esta etapa del proceso del GPS:

- Desarrollar los dones de los miembros.
- Impulsar el desarrollo de ministerios.
- Llevar a cabo actividades y estrategias de evangelización.
- Capacitar a los miembros para alcanzar a los perdidos.
- Parejas misioneras.
- En la reunión, darle mucha atención al tiempo de las obras.
- Visualizar líderes potenciales y entrenarlos.
- Delegar responsabilidades a los miembros.
- Organizar estrategias evangelizadoras: cenas, pícnics, paseos, estudios bíblicos, conferencias, etc.

Multiplicación

MULTIPLICACIÓN – EDIFICACIÓN – MENTORÍA

Muchos grupos se acomodan en las dos primeras etapas del proceso, y miran con desdén la multiplicación. Para ellos, es una división lastimosa y no una bendición multiplicativa. Cuando el enfoque del grupo es saludable, la multiplicación se efectúa con naturalidad.

Capítulo 10

Multiplicación

La multiplicación es un logro, no una derrota.

En este nivel del ciclo del desarrollo del grupo se procura su multiplicación. Unos de los retos más frecuentes es la carencia de madurez para encaminar la multiplicación del grupo. Por esto es importante que constantemente el líder esté recordando que la meta es la multiplicación. Si el grupo desarrolla un plan estratégico para la multiplicación, este será un logro y no una pérdida.

En una reunión de líderes, hablamos de la multiplicación y su importancia, a lo que uno de los líderes reaccionó un poco enojado: "Nuestro grupo tiene más de tres años y seguimos estables, somos más de veinte personas". Todo lo que dijo era cierto, su gran satisfacción era que su grupo tenía mucho tiempo y seguía adelante y tenía mucha gente. Añadió: "Ninguno de nuestros miembros quiere salir de nuestro grupo para ir a ningún otro, y yo no los puedo obligar. En nuestro grupo ellos encuentran todo lo que necesitan". Él había encontrado satisfacción en el estancamiento. No se daba cuenta de que aquellas cosas por las que se sentía orgulloso estaban dañando la misión de crecimiento y multiplicación. Se habían quedado en el segundo nivel del proceso, el establecimiento, pero habían olvidado el enfoque y la multiplicación.

Principales factores de riesgo para la multiplicación

Es importante que tomemos en cuenta los principales factores de riesgo para la multiplicación de un grupo pequeño. Cuando estos no se trabajan de manera intencional, se convierten en obstáculos para la multiplicación del grupo y terminan estancándolo. Estos son los cinco factores principales de riesgo:

1. *Falta de intencionalidad:* Este factor los acomoda y no los deja ver el sentido de misión. No hay ningún plan de crecimiento, se pueden estar reuniendo constantemente pero no respiran crecimiento.

2. *Disfrute exagerado de la confraternización:* Es importante convivir en el grupo, y cada miembro debe disfrutar del mismo, pero este no es el objetivo del grupo. Muchos olvidan el propósito e invierten todo el tiempo del grupo en simplemente pasar un buen rato.

3. *Ver la multiplicación como división:* Cuando un grupo se multiplica, permite que ambos, el grupo madre y el nuevo grupo, vuelvan a la etapa de formación del grupo. En esta etapa de formación, el grupo madre disminuye su número de miembros, ya que dio paso a la formación de un nuevo grupo. Cuando los miembros de un grupo no están enfocados, terminan mirando la multiplicación con tristeza y no como una meta alcanzada.

4. *Grupos numerosos:* Muchos miembros se sienten satisfechos con tener mucha gente asistiendo a su grupo; muchas veces llamarles pequeño ya no encaja, pues son congregaciones de más de veinte personas. Esto estanca al grupo y lo aleja de la visión real: los grupos son pequeños y su meta es multiplicarse.

5. *Falta de capacitación:* Esta es uno de los factores más comunes. Muchas veces creemos que ya sabemos todo, y otras veces simplemente no nos interesa formar a otros. Si no hay líderes capacitados será imposible que ocurra un desarrollo multiplicativo.

Principios para la multiplicación

En el quehacer de la iglesia hay tanto que solucionar, tanto que resolver, que terminamos envolviéndonos en todo lo urgente y olvidamos

Multiplicación

lo importante. Para llegar a alcanzar la multiplicación es necesario que aprendamos a enfocarnos en lo importante, actuar en consecuencia y rendir cuenta constantemente.

Enfócate en lo importante. Uno de los grandes desafíos es lograr definir qué es lo importante, porque a la hora de definir lo que es importante comenzamos a pensar en las metas. El número de grupos que queremos alcanzar, las personas que nos proponemos bautizar, los líderes que planeamos entrenar, etc. Sin embargo, enfocarnos en lo importante es definir cuáles son aquellos indicadores que me llevarán a conseguir la meta propuesta.

Por ejemplo, hace algún tiempo yo quería participar en una carrera de cinco kilómetros. ¿Cuál era mi meta? Correr cinco kilómetros, pero ¿cómo me enfoco en lo importante?, ¿qué era lo importante para alcanzar mi meta?

No podía enfocarme en correr los cinco kilómetros diariamente, pues terminaría frustrado. Comprendí que debía correr un kilómetro y medio cada día durante una semana, y seguir incrementando en forma gradual, y hasta después de tres meses poder correr cinco kilómetros sin dificultad. Lo importante fue concentrarme en los indicadores diarios que al final me llevarían a alcanzar la meta. Lo mismo ocurre en el crecimiento y la multiplicación de grupos.

A menudo nos concentramos en la meta final, el número de nuevos conversos que deseamos alcanzar, el número de grupos que deseamos ver multiplicados, y hablamos de eso en todo momento, y al final terminamos frustrados. Para definir lo importante, debemos identificar la meta y luego los indicadores que nos permitirán alcanzar esa meta.

Identifica la meta o los objetivos a largo plazo. La iglesia del Norte de Phoenix entendió eso, así que, en una reunión de planificación los líderes decidieron identificar la meta: bautizar veinte nuevos conversos ese año e incrementar la cantidad de grupos de cuatro a seis. Pero aun identificando adónde queríamos llegar, no teníamos garantía de lograrlo. Así que dimos el siguiente paso.

Definir los indicadores que permitirán alcanzar la meta. Identificar cuáles son aquellas cosas que me llevarán a alcanzar la meta es determinante para hacerla realidad. Generalmente nos concentramos en la meta, pero no identificamos los indicadores que muestran que vamos en buen camino. Los líderes de North Valley definieron que si deseaban bautizar 20 personas, debían tener muchos contactos identificados y varios de ellos estudiando la Biblia. De igual manera, si deseaban multiplicarse, debían tener líderes en formación, por lo que se decidió hacer lo que le llamamos la tabla de enfoque.

TABLA DE ENFOQUE		
Objetivo a largo plazo	Indicadores	Descripción
20 nuevos conversos	• 150 amigos identificados • 60 estudios bíblicos • 5 nuevos conversos por trimestre	• Que cada miembro identifique a por lo menos 4 personas que pueden ser familiares, amigos, vecinos o compañeros de trabajo que aún no conocen a Jesús. • Desarrollar un plan de amistad con estos amigos, hasta llegar a estudiar la Biblia con, por lo menos, 60 de ellos.
Formar 2 grupos nuevos	• Identificar aquellos que poseen don de enseñanza, liderazgo u hospitalidad en los grupos.	• Desarrollar un entrenamiento constante con este grupo de personas, junto a los líderes de los grupos.

Con esta tabla de enfoque nos dimos cuenta de que para llegar a la meta la clave era concentrarnos en los indicadores, ya que al alcanzarlos lograríamos la meta de manera automática. Estos indicadores regularán nuestras acciones y estrategias de crecimiento y nuestra rendición de cuentas.

Actúa en consecuencia al enfoque

Generalmente, en cualquier organización, y las iglesias no son la excepción, nos movemos por la regla del 80/20. El 80 por ciento de todo lo que hacemos se destina a las labores de existencia, esas cosas que nos permiten estar a flote, y solo el 20 por ciento es destinado a estrategias de avance y crecimiento. Podemos estar bien ocupados en la iglesia, haciendo muy buenos programas y eventos, sin estar avanzando y creciendo. Por eso es importante determinar qué hacemos con ese 20 por ciento, pues de lo contrario nos estancaremos.

Multiplicación

Debemos identificar cuáles son aquellas cosas que entran en ese 80 por ciento, y cuáles entran en el 20 por ciento que enfocaremos al desarrollo. Por ejemplo:

ENFOCANDO EL 80-20	
80 por ciento	**20 por ciento**
• Servicio de adoración. • Eventos y programas de ministerios de iglesia.	• Hacer el servicio de adoración atractivo para los no creyentes. • Hacer los programas y ministerios de iglesia un espacio donde podamos llevar a nuestros amigos no creyentes. • Cada grupo se colocará una meta de contactos y de estudios bíblicos.

Estas pequeñas decisiones de enfoque marcarán una diferencia de crecimiento. Este 20 por ciento lo cambia todo. Pero cuando no lo trabajamos nos estancamos como iglesia, haciendo siempre lo mismo hasta llegar a ser defensores de liturgias vacías y nada más. Este 20 por ciento cambió la adoración de North Valley, la hizo incluyente. Cada grupo también define sus indicadores y se concentra en ellos. De ser la iglesia de unos cuantos, llegó a ser la iglesia de todos.

Rindan cuentas constantemente. Cuando nos concentramos en alcanzar los indicadores (el 20 por ciento), las metas se alcanzarán solas, las reuniones de rendición de cuentas se encargan de exhibir ese movimiento. Uno de nuestros grandes desafíos es que las reuniones se ven abrumadas por ese 80 por ciento que describimos anteriormente. Por eso es importante tener reuniones frecuentes de rendición de cuentas. Para estas reuniones recuerda las siguientes recomendaciones:

- Reuniones cortas, no más de treinta minutos.
- No es una reunión de solución de conflictos.
- Es una reunión para evaluar los indicadores, dónde estamos en nuestros indicadores.
- Ten los indicadores de manera visible en el lugar de reunión.
- Orar juntos por las almas que están siendo impactadas con la influencia del evangelio.

- Revisamos los indicadores y aprendemos de los éxitos y fracasos, abriendo paso a nuevas estrategias para alcanzar los indicadores.

Planear

Rendir cuentas

Revisar indicadores

GPS y la plantación de iglesias

Las ciudades están creciendo de manera desproporcionada con relación a la plantación de iglesias. La iglesia está quedando en un segundo plano, para las personas adorar ya no es una necesidad. La necesidad de plantar iglesias, contrario a lo que muchos piensan, se convierte en la gran necesidad del mundo cristiano. Existen tres razones fundamentales por las cuales plantar iglesias. 1) Para glorificar a Dios. 2) Para cumplir la comisión de Jesús de ir y hacer discípulos. 3) Porque es el enfoque y la centralidad del Nuevo Testamento.

Es interesante notar que el 88 por ciento de las iglesias en los Estados Unidos se encuentra estancada, no crece. Son iglesias con más de 50 años que han agotado un ciclo de vida de nacimiento, crecimiento, pero nunca han llegado a la multiplicación. Estas congregaciones terminan envolviéndose en las tareas cotidianas de operación sin nunca desarrollar una ADN de multiplicación. Es interesante notar que las iglesias que menos crecen y se multiplican no poseen un ministerio de grupos pequeños. Los grupos pequeños son los agentes que desarrollan y contagian el ADN de la multiplicación. Las iglesias que poseen grupos pequeños y son plantadas como una cultura de multiplicación, crecen doce veces más que las iglesias madre. En el reporte de plantación de iglesias de 2019, el Grupo Barna encontró que la forma más efectiva

Multiplicación

por lo cual las personas conocían y llegaban a las iglesias fue por medio de grupos pequeños.[1] Con este argumento, afirma que la razón de crecimiento número 1 de las iglesias hoy en día son los grupos pequeños. Los grupos pequeños fueron el método de crecimiento y multiplicación de la iglesia primitiva, y lo siguen siendo hoy en pleno siglo XXI.

Es importante destacar que la plantación de iglesia persigue la conversión de nuevos miembros y no la piratería de ellos. Muchas iglesias se multiplican y crecen simplemente por la llegada de miembros de otras congregaciones. Las últimas investigaciones sobre plantación de iglesias afirman que el ideal es que exista una iglesia por cada 500 a 1000 personas. Si esto ocurriera, el mundo tendría la oportunidad de conocer el mensaje de Jesucristo. Al mirar este argumento, de inmediato nos damos cuenta de que la iglesia a la cual se refiere esta investigación no está hablando de edificios, ya que sería imposible tener un edificio por cada 500 a 1000 habitantes. Más bien se está refiriendo a modelos orgánicos de plantación de iglesias, agentes personales que puedan llegar a la gente y anunciar el evangelio. Estamos hablando de grupos pequeños.

Richard Halverson hizo esta declaración: "El cristianismo comenzó en Palestina como una comunidad. Se mudó a Grecia y se convirtió en una filosofía, después se fue a Roma y se convirtió en una institución, y luego se fue a Europa y se convirtió en un gobierno. Finalmente, llegó a América, donde lo convertimos en una empresa". A menudo, ese modelo de negocio se ha trasladado a la iglesia de Jesucristo.[2] A veces, siendo influenciado por el sistema educativo, por el sistema de gobierno o simplemente por el sistema comercial de donde vivimos, terminamos inclinando las iglesias a ofrecer un servicio que es consumido por las personas. Sin embargo, los grupos pequeños ofrecen más que eso: ofrecen comunidad. Es como volver a Israel y retomar el sentido de multiplicación y alcanzar al mundo con el evangelio.

Los grupos pequeños son ese modelo orgánico que puede convertirse en focos de influencia por cada 500 personas. Solo los grupos pequeños se pueden convertir en una señal del evangelio de Jesucristo entre todas las personas, donde las personas no pueden caminar, no pueden comprar, no pueden vivir sin encontrarse con la iglesia de Jesucristo. Por esta razón, no tengas miedo de convertir tu grupo pequeño en un agente de multiplicación que pueda llevar el evangelio a muchos.

> Y después de anunciar el evangelio a aquella ciudad y de hacer muchos discípulos, volvieron a Listra, a Iconio y a Antioquía, confirmando los ánimos de los discípulos, exhortándoles a que permaneciesen en la fe, y diciéndoles: Es necesario que a través de muchas tribulaciones entremos en el reino de Dios. Y constituyeron ancianos en cada iglesia, y habiendo orado con ayunos, los encomendaron al Señor en quien habían creído (Hechos 14:21-23).

En este texto, el apóstol Pablo nos hace un resumen de su metodología para plantar iglesias mediante grupos de creyentes en casas. El apóstol nos resume su método en cuatro puntos: 1) predicó el evangelio, 2) ganó otros discípulos, 3) fortaleció a los discípulos ganados, y 4) preparó y dejó líderes en esas nuevas congregaciones. No hay un mejor lugar o una mejor estrategia para agotar este proceso fuera de los grupos pequeños, ya que fue esta misma metodología la que Pablo utilizó, y la que la iglesia apostólica utilizó también para expandirse y multiplicarse. En tu caminar hacia la plantación de iglesias recuerda bien esto cuatro puntos:

- No tengas miedo de que tu grupo se multiplique.
- Proyecta la multiplicación tomando en cuenta el sentido geográfico de tu ciudad.
- Planifica la multiplicación con una visión de plantación de iglesias.
- Déjate conducir por el Espíritu Santo.

---

1. Barna, *2019 Church Growth Report* (Redmod: Pushpay, 2019), p. 13.

2. Timothy Sisk, *MI201 Plantación de iglesias*, Educación Móvil Logos (Bellingham, WA: Editorial Tesoro Bíblico, 2019).

CAPÍTULO 11

Edificación

Dios quiere edificar su iglesia por medio
de los grupos pequeños saludables.

En la iglesia apostólica fue identificada una serie de dones que describían responsabilidades especificas de dirección y educación de la iglesia. Esto no quiere decir que los demás dones no eran importantes, más bien describe de manera clara la conducción de la iglesia. El apóstol Pablo lo identificó en su Carta a los Efesios: "Y él mismo constituyó a unos, apóstoles; a otros, profetas; a otros, evangelistas; a otros, pastores y maestros, a fin de perfeccionar a los santos para la obra del ministerio, para la edificación del cuerpo de Cristo" (4:11, 12). Para muchos, este texto describe el organigrama funcional de la iglesia primitiva. Al menos, aquí encontramos las responsabilidades sobre las que descansaba la estructura de la iglesia cristiana del primer siglo. De igual manera, debemos identificar las principales responsabilidades sobre las cuales descansa la multiplicación de un grupo, y el entrenamiento de los miembros, ya que de no hacerse será imposible lograr la sana edificación y multiplicación de estos.

Una de mis grandes frustraciones en la multiplicación de grupos es tener personas con un gran deseo de trabajar sin estar dotados con las herramientas propias para hacer avanzar el grupo. Hay una simbiosis que debe darse en el equipo que hace funcionar un grupo. Por eso, me gustaría concentrarme en la multiplicación y el desarrollo del nuevo grupo describiendo los cinco dones más destacados en la funcionabilidad y la multiplicación del grupo pequeño saludable. Utilizaré el siguiente acróstico como didáctica de aprendizaje: LECHE.

L = Liderazgo
E = Evangelización
C = Cuidado pastoral
H = Hospitalidad
E = Enseñanza

De manera directa e indirecta, encontramos en la Biblia una gran lista de dones, pero para los fines deseados nos concentraremos en describir estos cinco dones que dan funcionalidad al grupo. Imaginemos el grupo pequeño como un cuerpo humano. Estos cinco dones serán como ciertas partes motoras que le dan funcionalidad. Si el grupo fuera el cuerpo humano, estos cinco dones son la LECHE que fortalecerá al grupo, permitiéndole crecer y multiplicarse.

- El *liderazgo:* son los ojos, que dan visión y perspectiva de dirección.
- La *evangelización*: es el corazón, que mantiene la vida y la esencia, dándole sentido a cada parte del cuerpo.
- El *cuidado pastoral*: son las manos, que sostienen y alientan en tiempos de necesidad y desánimo.
- La *hospitalidad*: son los pies, que mantienen la estabilidad, dando seguridad al grupo.
- La *enseñanza*: es la boca, que mantiene la comunicación clara y efectiva.

L = Liderazgo

La principal característica de los miembros que poseen este don es su facilidad para que los demás los sigan sin necesidad de imponerse. Christian Schwarz afirma que "este don permite a los cristianos

BOCA
ENSEÑANZA
MANTIENE LA COMUNICACIÓN
CLARA Y EFECTIVA.

OJOS
LIDERAZGO
DAN VISIÓN Y PERSPECTIVA
DE DIRECCIÓN.

CORAZÓN
EVANGELISMO
MANTIENE LA VIDA Y LA
ESCENCIA DÁNDOLE SENTIDO
A CADA PARTE DEL CUERPO.

MANOS
CUIDADO PASTORAL
SOSTIENE Y ALIMENTA EN TIEMPOS
DE NECESIDAD Y DESÁNIMO.

PIES
HOSPITALIDAD
MANTIENEN LA ESTABILIDAD Y
SEGURIDAD DEL GRUPO.

establecer metas para el futuro de la iglesia y comunicarlas de tal manera que los demás cooperen de forma voluntaria para conseguirlas".[1] En Romanos 12:8, el apóstol Pablo nos hace un listado de dones, entre ellos el de liderazgo. La palabra griega que utiliza es *proistemenos* (προΐστημι). Esta palabra define a una persona que va delante de otros, dándoles dirección, cuidándolos y protegiéndoles.

Cuando un líder de grupo posee este don y se le entrena, su grupo avanzará y se multiplicará. Es importante que cada líder recuerde siempre:

- Orar en todo tiempo.
- Establecer metas claras con su grupo.

- Preocuparse por preparar nuevos líderes.
- Atraer visitas a su grupo.
- Evangelizar supliendo las necesidades sociales.
- La multiplicación.

E = Evangelización

Muchos especialistas del liderazgo eclesiástico afirman que no más del diez por ciento de las personas en la congregación poseen este don, ya que este don hace que los creyentes comuniquen la verdad del evangelio a otros de tal manera que puedan ser atraídos a la fe cristiana. En todos los casos que se hace referencia a este don, está aplicado a una persona que anuncia el evangelio con denuedo (Hechos 18:24-28; 21:8; Efesios 4:11; 2 Timoteo 4:5).

Peter Wagner lo describe así: "El don de evangelista es la habilidad especial que Dios da a ciertos miembros del cuerpo de Cristo para compartir el evangelio con los incrédulos, de tal manera que hombres y mujeres se hagan discípulos de Jesús y miembros responsables del cuerpo de Cristo".[2] Cuando en un grupo no hay ningún miembro con este don, el grupo perderá su razón de ser. Puede permanecer, pero no multiplicarse. Es interesante también el hecho de que una misma persona puede tener una combinación de varios dones.

Es importante ser creativo en la forma de alcanzar a los demás y ser relevante en la comunidad. Podemos catalogar las iglesias o grupos religiosos en su relación con su comunidad en tres grupos. 1) Aquellos que son *de* la comunidad; estos se congregan y poseen en común una fe, su comunidad no los conoce, pero son de allí. 2) Aquellos que están *en* la comunidad. Este grupo no es conocido por nadie ni hace nada para mejorar su entorno, pero está ahí. 3) Aquellos que están *con* la comunidad y se identifican con las necesidades reales del entorno. No simplemente están en la comunidad o son de ella, sino que se involucran en la vida diaria de su entorno. Este grupo de creyentes sin duda marcará una diferencia en su ámbito. El que posee el don de evangelización debe

Edificación

tener claro que su grupo está llamado para marcar una diferencia en la vida real de su entorno.

C = Cuidado pastoral

Podemos definir el cuidado pastoral como "la habilidad especial que Dios da a ciertos miembros del cuerpo de Cristo para asumir una responsabilidad personal de largo plazo por el bienestar espiritual de un grupo de creyentes".[3]

Es importante que este don no solo se concentre en el cuidado emocional de los miembros sino también en el espiritual. Debe motivar a los miembros a mantener una relación con Dios y a descubrir y desarrollar sus dones espirituales. No hay que caer en la tentación de dejar de multiplicarse por temor a romper los lazos afectivos ya creados.

H = Hospitalidad

Este don permite a los creyentes mantener una disposición constante a tener su casa abierta para ayudar a otros. Con regularidad ofrecen alimentos y alojamiento. Los que poseen este don sienten satisfacción en hospedar y suplir la necesidad de otras personas. Los anfitriones del grupo deben poseer este don, de lo contrario el grupo se disolverá con el tiempo a causa de la falta de estabilidad para reunirse periódicamente. Este don es en el grupo el equivalente de los pies en el cuerpo humano.

Lucas 10:38-42 nos presenta el encuentro de Jesús con María y Marta. Marta poseía el don de la hospitalidad. De acuerdo con el relato bíblico, su preocupación mayor era atender a Jesús. Él era su Huésped, y ella no perdería ninguna oportunidad de cuidarlo bien. Sin embargo, por un momento perdió el objetivo. Los que tienen el don de la hospitalidad deben siempre recordar que la razón principal de la existencia del grupo es el crecimiento en Cristo y la multiplicación del grupo.

E = Enseñanza

Este don permite a los creyentes enseñar las verdades bíblicas de tal manera que otros puedan entenderlas y aceptarlas. Este don funciona dentro del grupo como la boca en el cuerpo humano para ejercer la comunicación. No quiere decir que esta persona tenga mucho conocimiento, sino que enseña de tal forma que los demás aprenden.

Es importante que aquel que posea este don recuerde estos tres puntos: 1) Siempre es menester recordar que estamos llamados a enseñar la Palabra de Dios; recuerda que somos responsables de aquello que enseñamos (Santiago 3:1). 2) Practica lo que enseñas. 3) Mantente siempre en entrenamiento constante; eso te permitirá desarrollar mejor tu don.

1. Christian Schwarz, *Los 3 colores del ministerio* (Barcelona: Clie, 2001), p. 118.

2. Pablo A. Deiros, *Dones y ministerios* (Buenos Aires: Publicaciones Proforme, 2008), pp. 124, 125.

3. *Ibíd.*, p. 125.

CAPÍTULO 12

Mentoría*

La meta de todo líder es desarrollarse en otros

Una de las carreras más emocionantes es la de relevos. Observar ese trabajo en equipo es interesante. A cada corredor se le asigna un tramo, y durante ese trayecto tiene que entregar lo mejor que posee, dejarlo todo ahí. Pero cuando termina el tramo, tiene que pasar el testigo. Sin importar cuán rápido sea ese corredor, tiene que pasar el testigo para que otro compañero lo siga llevando. Si bien es importante llevar el testigo durante la carrera sin que este caiga, también lo es pasarlo al siguiente corredor. No se puede terminar una carrera de relevos con éxito si no se pasa el testigo. Lo mismo ocurre con los grupos pequeños: hay que pasar el testigo a otros líderes.

Mantener un proceso constante de capacitación es una clave para la multiplicación. Recuerda que un buen liderazgo siempre prepara sustitutos, y se logra modelando. El método por excelencia para formar a otros y pasar el testigo es la mentoría o asesoría. Por su origen, la palabra mentor da a entender que es una persona que enseña y moldea con el ejemplo relacional. En la épica obra mitológica griega, *La Odisea*, de Homero, el guerrero griego Ulises se embarca hacia Troya y deja a su hijo Telémaco a cargo de un siervo llamado mentor, orientador o tutor. El mentor tenía que encargarse del cuidado y la formación de Telémaco.

---

* Usamos el neologísmo *"mentoría"* como expresión de la función del mentor, que significa consejero, guía, maestro, padrino, ayo.

De ahí el origen del tutor como un formador. Para la multiplicación es importante modelarse en otros por medio de la mentoría.

Veamos algunos ejemplos de la mentoría utilizada en varias ocasiones como modelo de formación y traspaso:

MENTOR	DISCÍPULO	REFERENCIA BÍBLICA
Elías	Eliseo	1 Reyes 19:19; 2 Reyes 2:11-15
Moisés	Josué	Deuteronomio 31
Elí	Samuel	1 Samuel 3
Hilcías	Rey Josías	2 Reyes 22, 23
Noemí	Rut	Rut 1-4
Bernabé	Saulo	Hechos 9:26-28
Pablo	Timoteo	1 Timoteo 1:2; 2 Timoteo 1:2, 2:2; 1 Corintios 4:17
Jesús	Discípulos	Marcos 3:13-19

El factor común en todos estos ejemplos mencionados en su etapa de formación son las relaciones personales al vivir el proceso, y en todos los casos el aprendiz termina asumiendo un papel de multiplicación.

Jesús como mentor

Para tener una idea más amplia y práctica de la obra de Jesús como un gran mentor y consejero, demos un vistazo a lo que hizo Jesús con sus discípulos. En Juan 17, calificado como "el discurso de la victoria al final del ministerio de Jesús",[1] se detalla el proceso de mentoría que siguió Jesús con sus discípulos. Ese capítulo es un informe de su obra en la tierra, con proyección al futuro.

Al inicio de su oración se enfoca en la glorificación de él hacia el Padre y del Padre hacia él. También, de una forma clara y medible, define la misión de su vida en la tierra y la vida eterna: "Que te conozcan a ti, el único Dios verdadero, y a Jesucristo, a quien has enviado" (vers. 3). Conocer al

Padre y al Hijo es la vida eterna. La clave del cristianismo está en "conocer". Entrar en la vida eterna es entrar en un proceso de conocimiento con ellos.

La palabra que se traduce como "conocer" es el término griego ἐπίγνωσι, un presente de subjuntivo en voz activa del verbo γινώσκω, que Robertson traduce como "sigan conociendo",[2] dando a entender que la vida eterna es un conocimiento constante e interminable del Padre por medio de Jesús. Sin embargo, si estudiamos un poco más el sentido de utilidad del término, advertiremos una idea un poco más especial que el simple conocimiento. Gerhard Kittel, Gerhard Friedrich y Geoffrey W. Bromiley afirman:

> El término γινώσκω enfatiza la comprensión más que la percepción sensorial, se trata de una percepción de las cosas tal como son, y no de una opinión con respecto a ellas. La visión griega de la realidad es definida como γινώσκω o el conocimiento de lo real, y este conocimiento constituye la posibilidad suprema de la vida. Los que conocen participan de lo eterno. El termino γινώσκειν denota la comunión personal.[3]

Para los rabinos, el conocimiento espiritual era el conocimiento de la ley, y la tradición era la base y el tema de la instrucción. Sin embargo, al ser utilizada por Jesús para definir la vida eterna no como el conocimiento de la ley o las tradiciones sino como conocerlo a él, está expresando la penetración de la voluntad de Dios en el ser humano producto de una relación con él. F. F. Bruce puntualiza la idea al declarar de manera enfática que "este conocimiento no es una simple comprensión teórica, más bien es involucrarse en una relación personal con Dios".[4]

No debería extrañarnos que Jesús utilice el término para redefinir el concepto del conocimiento de Dios y de la vida eterna. Jesús está redefiniendo la vida eterna que se conocía en su época, está redefiniendo de forma radical el conocer a Dios. El punto central es la íntima y continua relación más que el aprendizaje tradicional. El término γινώσκειν denota la comunión personal con Dios o con Cristo. La relación entre el Padre y el Hijo es un conocer, y así es también la relación entre Jesús y sus discípulos. Como el Padre y el Hijo tienen vida, conocerlos es tener vida eterna. La vida eterna es la relación íntima y constante con Cristo Jesús.

En este proceso de mentoría, que consistía en darles vida eterna, Jesús agotó un proceso de cinco pasos que pueden ser para nosotros un patrón genérico para formar a otros.

1. He manifestado tu nombre a los hombres que del mundo me diste (Juan 17:6)

El primer paso en la mentoría de Jesús a sus discípulos fue hacerles manifiesto el nombre de Dios. Hizo manifiesta la identidad de Dios a sus discípulos. Les mostró el carácter del cielo. Al formar a otros, lo primero que debemos procurar hacer manifiesto es el amor incondicional de Dios por nosotros, hacer claro el plan de salvación de Dios para el ser humano. El crecimiento y la multiplicación no se tratan únicamente de aprender técnicas y ponerlas en práctica, se trata de amar a Dios y su misión. La única forma de sentir un compromiso apasionado por la misión de la iglesia de Dios es amar al Dios de la iglesia. Ser mentor de otros va más allá de enseñarles técnicas y procesos, se trata de llevarlos a Jesús, de enseñar a nuestros discípulos a amar a Jesús.

Dedica tiempo para vivir la vida cristiana con aquellos a quienes estás formando. No solo debes orar *por* ellos, también debes orar *con* ellos, enseñarlos a vivir la vida en Cristo. El apóstol Pablo entendió muy bien este concepto; se definía como el modelo de aquellos que aprendían de él, y se atrevió a decir: "Sed imitadores de mí, así como yo de Cristo" (1 Corintios 11:1). En este proceso de formación espiritual:

- Sé paciente y tolera los errores.
- Sé flexible.
- No enseñes ni canonices tradiciones, en especial, con las

generaciones más jóvenes.
* Motiva al aprendiz, no lo desanimes con críticas constantes.
* No compares tu comprensión y tu disciplina espiritual con la de tu aprendiz.
* Modela el amor a Dios y el amor a la gente.
* No critiques a la iglesia ni a sus líderes ante nadie, menos ante tus aprendices.

2. Yo los guardé en tu nombre (Juan 17:12)

La idea de guardar en el texto no quiere decir que Jesús los escondió o los alejó de las personas de la época. Quiere decir que Cristo los mantuvo en el ejercicio constante de la fe. En otras palabras, Jesús modeló la vida cristiana en sus discípulos de tal forma que ellos se mantuvieran activos en su fe. Jesús les brindó a sus discípulos un liderazgo relacional, una especie de compañerismo cristiano que mantenía en ellos un ambiente de adoración y dedicación a Dios. Uno de los principales factores que influyen en el desánimo en la vida cristiana es la falta de compañerismo y la carencia de ese ambiente espiritual. Cuando una persona ingresa en las filas de la fe, cambia su entorno relacional, y si no encuentra en el pueblo de Dios un ambiente relacional para él, su fe terminará muriendo. Esto ocurre no por falta de doctrina o conocimiento bíblico sino porque nunca desarrolló conexiones sanas en el ambiente de la fe. Por eso es importante que el líder mentor aprenda a relacionarse con sus aprendices. Para cultivar conexiones sanas el líder debe:

* *Identificarse con el aprendiz:* Mostrar que le interesa su vida, su familia, sus gustos, etc. Pasar tiempo con el aprendiz no únicamente en un ambiente eclesiástico o litúrgico sino romper las barreras del formalismo y llegar a ser su amigo. Estamos hablando de compartir un partido de fútbol, disfrutar de unos buenos tacos, etc.
* *Aprender a escuchar:* Ser escuchado es una de las grandes

necesidades humanas, pero la mayoría de nosotros no sabe escuchar. Escuchar es prestar total atención a quien te habla y entender lo que te dice. Es importante escuchar a nuestros aprendices sin ninguna distracción, y siempre hacerles sentir que entendimos lo que escuchamos. Podemos lograr esto mediante la retroalimentación, describiendo con nuestras palabras el mensaje central que nos acaban de transmitir.

3. Yo les he dado tu palabra (Juan 17:14)

En este tercer elemento, Jesús establece con claridad que les ha dado la palabra a sus discípulos. Cuando el texto habla de la palabra se está refiriendo al mensaje. Cristo establece que les ha entregado el mensaje de Dios a sus discípulos. Podemos entender que Cristo se está refiriendo a las verdades contenidas en la Palabra de Dios. Es importante poder enseñar la sana interpretación de la Palabra de Dios y los principios eternos contenidos en la Biblia a cada aprendiz. Al mirar los evangelios nos damos cuenta de que Jesús invirtió mucho tiempo en enseñar a sus discípulos, pues los evangelios están llenos de discursos de Cristo. Él les enseñó por medio de parábolas, modeló su comportamiento dándoles ejemplo, y se atrevió a decir: "Ya vosotros estáis limpios por la palabra que os he hablado" (Juan 15:3). En este sentido, recuerda siempre enseñar:

- Principios correctos de interpretación bíblica.
- Las doctrinas fundamentales de nuestra iglesia.
- Vivir una vida basada en la Palabra de Dios.
- Nunca elevar las tradiciones al nivel de principios.
- Nunca forzar a la Biblia a decir lo que tú quieres que ella diga.
- Si el aprendiz falla, peca o se desanima, concéntrate en la restauración espiritual y no en la condenación.
- Sé un modelo representativo de la Palabra de Dios en tu vida.

4. Los he enviado al mundo (Juan 17:18)

El cuarto paso qué Jesús cumplió con sus discípulos fue enviarlos al mundo. Los seguidores de Jesús, tanto presentes como futuros, pasarían a tomar su lugar en la misión en este mundo. En el versículo 3 él se considera un "enviado", ἀπέστειλας, de Dios para cumplir con la misión de salvar al mundo y, sobre todo, atraer y preparar a sus escogidos. Ahora él ha "enviado", ἀπέστειλας, a sus seguidores al mundo para atraer y preparar a otros para la salvación y para compartirla al mundo.

Gerhard Kittel, Gerhard Friedrich y Geoffrey W. Bromiley enfatizan que "el mensajero (ἀπέστειλας) es una especie de plenipotenciario".[5] Claramente podemos entender que el plan de Jesús es entregar su autoridad a sus seguidores para que estos sean sus enviados. En el sentido de misión, Jesús viene como un "enviado", poseyendo toda la autoridad del cielo para atraer a la salvación a todo aquel que en él crea. Sus seguidores, tanto presentes como futuros, se convierten en sus enviados con toda la autoridad dada por él mismo para cumplir la misión.

Mira el potencial del aprendiz y ayúdalo a identificar y a desarrollar el don que Dios le ha dado mediante el Espíritu Santo. Hay que ayudarle a tener un espíritu de misión. Este espíritu tiene que verse modelado en cada mentor de tal forma que el aprendiz termine haciendo con otros lo que hicieron con él.

5. La gloria que me diste, yo les he dado (Juan 17:22)

Jesús entrega su gloria a sus discípulos, una gloria que él había recibido del Padre. Lo interesante es que la manifestación de esa gloria en la iglesia de Cristo es la unidad. Jesús les entrega a sus discípulos su gloria, y esta produciría en cada uno de ellos un sentido de unidad, de misión y propósito. Esta unidad producto de la gloria de Dios se convertiría en una prueba de que Jesús era el Mesías prometido. Es importante entender que la gloria de Dios se revela en unidad cuando soy un enviado, y se manifiesta al cumplir la misión.

La mentoría espiritual va más allá de ser una relación humana si se convierte en una relación triple entre el mentor, el aprendiz y el Espíritu Santo. Daniel Richardson, en su manual sobre disciplinas espirituales, *Crece*, afirma que el mentor juega un papel triple para el aprendiz: como un imitador de Jesús, un amigo y un profesor espiritual.[6] Cada mentor debe conducir a su aprendiz a vivir en la unidad de la gloria de Dios y ser un factor de unidad en su congregación. Esta unidad con Dios nos lleva a tener una unidad unos con los otros, de tal manera que llega a convertirse en el indicador más poderoso de la veracidad del Mesías ante el mundo. Recuerda siempre que hay un modelo de enseñanza especial basado en la mentoría de Jesús, que podríamos resumirlo así

"Yo lo hago, tú me observas".
"Yo lo hago, tú lo haces conmigo".
"Tú lo haces, yo te observo".
"Tú lo haces solo, yo me voy a otro lugar".

1. Leon Morris, *El Evangelio según San Juan*, tomo 2 (Barcelona; Espana: Editorial Clie, 2005), p. 343.

2. A. T. Robertson, *Comentario al texto griego del Nuevo Testamento*, obra completa (6 tomos en 1) (Barcelona, España: Editorial Clie, 2003), p. 257.

3. Gerhard Kittel, Gerhard Friedrich, y Geoffrey W. Bromiley, *Compendio del diccionario teológico del Nuevo Testamento* (Grand Rapids, Michigan: Libros Desafío, 2002), p. 122.

4. F. F. Bruce, *The Gospel of John* (Grand Rapids, Michigan: Eardmands Publishing, 1994), p. 329.

5. Gerhard Kittel, Gerhard Friedrich y Geoffrey W. Bromiley, p. 73.

6. Daniel Richardson, *Crece* (Charleston, North Carolina: Create Space, 2017), p. 162.

RECOMENDACIONES:
Etapa de multiplicación

En esta etapa, el grupo madre acompañará paso a paso al nuevo grupo en su formación. En este proceso de acompañamiento recordemos:

El líder provoca la multiplicación: Planifica la multiplicación con el grupo.

Pasar la antorcha para que otro líder dirija el próximo grupo pequeño: El grupo madre facilita la multiplicación del grupo naciente acompañándolo en el desarrollo de las primeras etapas de crecimiento.

El líder debe permitir que el nuevo líder se desarrolle: Muchos líderes no quieren soltar la dirección, ya que ellos saben hacer las cosas. Saben el proceso, y les costó mucho aprenderlo, así que terminan haciendo todo y no dejan desarrollar el nuevo liderazgo. Siempre es bueno recordar en estos casos las palabras de Juan el Bautista: "Es necesario que él crezca, pero que yo mengüe" (Juan 3:30).

Es importante que el líder hable insistentemente del nacimiento del próximo grupo y su importancia: Si la multiplicación se realiza bajo una buena planificación, cuando esto ocurra no dolerá, sino que será una meta alcanzada, por lo que producirá satisfacción en aquellos que se quedan y en los que salen para abrir el nuevo grupo.

Realizar una fiesta de celebración cuando ocurre la multiplicación: La multiplicación es la meta de todo grupo, por lo que alcanzarla es el motivo de satisfacción más grande que debemos celebrar. Celebramos cuando alguien nace en el reino de Dios, y el cielo celebra; cuando se multiplica un grupo quiere decir que varios cristianos nacieron en el reino de Dios, y nuevos líderes y ministerios también.

Identificar el nuevo grupo desde que nace: Recuerda recorrer cada etapa con el nuevo grupo, y con el ya esta establecido también. Cuando un grupo se multiplica, es como si dos grupos nuevos comenzaran. Hay que crear y adaptarse a nuevas dinámicas, recorriendo el camino de las cuatro etapas una y otra vez. Las etapas son la vida del grupo; no experimentarlas es matar o estancar al grupo, por lo que es de suma importancia acompañar al nuevo grupo y al grupo madre para que entren de inmediato en la primera etapa del desarrollo de los grupos pequeños.

El reconocimiento es importante para el nuevo grupo y el grupo madre de parte del pastor y los líderes de la iglesia: El reconocimiento es uno de los mayores agentes motivadores en el ser humano, en especial cuando este se hace en público. Reconocer públicamente al grupo madre y al grupo naciente siempre será un motivador excelente para los implicados y para los demás grupos. Debemos recordar que el reconocimiento público no solo motiva, sino que también compromete con la misión de multiplicación.

La multiplicación ocurre cuando hay un líder entrenado, no necesariamente cuando hay un gran número de personas.

Recuerda que cuando el grupo crece y no se multiplica, pierde su eficacia.

Anexos

Anexo # 1

Inventario de etapas de desarrollo del grupo pequeño

Escoja una declaración que mejor describe a su grupo pequeño.

Pregunta #1: En nuestro grupo pequeño:
- A. No todos los miembros de mi grupo nos conocemos muy bien todavía.
- B. Puedo identificar a cada uno de los miembros del grupo por sus nombres.
- C. La mayoría de los miembros del grupo participa activamente en las actividades del grupo.
- D. En las reuniones, hablamos constantemente sobre la multiplicación del grupo.

Pregunta #2: Puedo asegurar que:
- A. Nuestro grupo pequeño conoce quién será el próximo líder del nuevo grupo pequeño.
- B. Aún no tenemos claras las metas como grupo pequeño.
- C. Estamos experimentando algunos conflictos relacionales en nuestro grupo.
- D. Muchos de los miembros del grupo han encontrado un área donde se encuentran cómodos al servir en el grupo.

Pregunta #3: Admitido que:
- A. Varios miembros del grupo se están interesando en tomar los seminarios de capacitación que ofrece nuestra iglesia y/o la Asociación.
- B. Como grupo ya tenemos un tiempo definido cuando planeamos efectuar la multiplicación de nuestro grupo.
- C. Apenas nos estamos poniendo de acuerdo respecto al día, la hora y el lugar en que se realizarán las reuniones de nuestro grupo pequeño.
- D. Tenemos un día fijo de reunión.

Pregunta #4: Entiendo que:
- A. La mayoría de los miembros conoce el día y la localidad de la reunión de nuestro grupo pequeño.

B. En nuestras reuniones hablamos constantemente de las metas de nuestro grupo pequeño.

C. La persona seleccionada para liderar el nuevo grupo recibió o está recibiendo entrenamiento para ser un líder de grupo pequeño.

D. Sobre mí, como el líder de mi grupo pequeño, recae la mayoría de las responsabilidades durante la reunión.

Pregunta #5: Reconozco que:

A. Apenas estamos iniciando nuestro grupo pequeño.

B. En más de una ocasión he sentido el deseo de abandonar el grupo pequeño.

C. En nuestro grupo evaluamos constantemente lo que estamos haciendo para alcanzar las metas del grupo.

D. Advierto que los miembros de nuestro grupo pequeño están deseosos de multiplicarse.

Pregunta #6: Estoy consciente de que:

A. En nuestro grupo, hablamos constantemente sobre la importancia de la multiplicación.

B. Aún no logro identificar por sus nombres a todos los miembros del grupo al que pertenezco.

C. Hemos tenido algunas reuniones en nuestro grupo pequeño con una asistencia muy baja.

D. Están llegando varios amigos, no miembros de iglesia, a las reuniones de nuestro grupo pequeño.

Pregunta #7: Puedo asegurar que:

A. Ya hemos organizado varios eventos misioneros en nuestro grupo pequeño.

B. Nuestro grupo ha llevado algún (os) candidato (s) al bautismo.

C. Aún estoy memorizando el día, el horario y la dirección del lugar de nuestra reunión.

D. Más de un miembro de nuestro grupo pequeño ha experimentado desánimo con relación al grupo.

Pregunta #8: Percibo que:

A. Ya estamos de acuerdo respecto al funcionamiento de nuestro grupo pequeño.

B. Varios de los miembros de nuestro grupo pequeño están impartiendo estudios bíblicos.

C. Nuestro grupo, al igual que yo, vemos la multiplicación como un logro y no como una partida.

D. Apenas nos estamos acoplando, ya que nuestro grupo tiene de uno a tres meses de haber sido formado.

Pregunta #9: En nuestro grupo ya:

A. Estamos formando la directiva del grupo.

B. Colocamos los objetivos de bautismo y multiplicación.

C. He identificado un líder potencial que pueda dirigir el próximo grupo pequeño.

D. Seleccionamos o estamos en el proceso de seleccionar a los miembros del nuevo grupo pequeño.

Pregunta #10: En las actividades de nuestro grupo pequeño:

A. Permito que el nuevo líder se desarrolle en las actividades del grupo pequeño.

B. Estamos muy interesados en convivir unos con otros.

C. Hablamos regularmente sobre los objetivos del grupo.

D. Hablamos regularmente sobre la multiplicación del grupo.

Tabla de cálculo

Para poder identificar en cuáles de las etapas del ciclo de desarrollo se encuentra tu grupo pequeño, selecciona la respuesta que escogiste en cada una de las preguntas. Al final, coloca el número de la cantidad de selecciones realizadas en cada columna.

Tabla de respuestas				
Pregunta #	Columna 1	Columna 2	Columna 3	Columna 4
1	A	B	C	D
2	B	C	D	A
3	C	D	A	B
4	D	A	B	C
5	A	B	C	D
6	B	C	D	A
7	C	D	A	B
8	D	A	B	C
9	A	B	C	D
10	B	C	D	A
Totales:				
Etapas:	Formación	Afirmación	Enfoque	Multiplicación

Anexo # 2

Inventario de dones "LECHE"

Escoge el nivel de descripción que más se aplique a ti en las siguientes declaraciones, siendo el cero la descripción que menos lo identifica, y el cuatro la mayor.

1.	Hablar con los no creyentes sobre Jesús y mi relación con él.	0	1	2	3	4
2.	Elaborar y utilizar materiales que ayuden a los demás a aprender de manera sencilla e interesante.	0	1	2	3	4
3.	Dar la bienvenida incluso a los invitados inesperados y ofreciéndoles comida y alojamiento.	0	1	2	3	4
4.	Dirigir a la gente para que aprendan a trabajar juntos en el logro de un objetivo común.	0	1	2	3	4
5.	Preocuparme por el bienestar espiritual de otros cristianos y apoyándoles en su desarrollo espiritual.	0	1	2	3	4
6.	Hablar con no creyentes sobre la fe en Cristo.	0	1	2	3	4
7.	Utilizar mi tiempo para comunicar mis conocimientos y mis habilidades a otros cristianos.	0	1	2	3	4
8.	Proporcionar a los desconocidos una atmósfera acogedora en mi casa.	0	1	2	3	4
9.	Ocuparme en tareas de liderazgo.	0	1	2	3	4
10.	Hacer compañía a otros cristianos para ayudarlos a crecer en la fe.	0	1	2	3	4
11.	De haber sido utilizado por Dios para conducir a otros hacia Jesucristo.	0	1	2	3	4
12.	De que otros cristianos me hayan dicho que soy capaz de compartir mis conocimientos de forma interesante.	0	1	2	3	4
13.	De que la gente disfruta reuniéndose en mi casa más que en otros lugares.	0	1	2	3	4
14.	De haber sido capaz de motivar a otros cristianos para conseguir ciertos objetivos.	0	1	2	3	4
15.	De ser capaz de ayudar a otros a crecer en su fe gracias a una relación duradera con ellos.	0	1	2	3	4
16.	Me molesta mucho que muchos cristianos no compartan su fe con otros.	0	1	2	3	4
17.	Creo que es frustrante que haya tan pocos cristianos que sean capaces de expresar sus conocimientos de manera interesante.	0	1	2	3	4

18. Me hace feliz recibir visitas inesperadas en mi casa, incluso cuando no está demasiado ordenada.	0	1	2	3	4
19. Cuando a un grupo le hace falta un líder, suelo hacerme cargo de él.	0	1	2	3	4
20. Me preocupa que muchos creyentes estén mal asistidos tanto espiritual como personalmente.	0	1	2	3	4
21. Advertir cuando una persona está lista para recibir el evangelio.	0	1	2	3	4
22. Compartir información y conocimientos de manera lógica, interesante y fácil de entender.	0	1	2	3	4
23. Hacer que las visitas se sientan "como en casa".	0	1	2	3	4
24. Delegar tareas.	0	1	2	3	4
25. Asesorar a un grupo de cristianos para que trabajen por la unidad.	0	1	2	3	4
26. Apuntarme a cursos para mejorar mi capacidad de llevar a gente a la fe en Cristo.	0	1	2	3	4
27. Leer más sobre la comunicación para poder mejorar mi habilidad de enseñar a otros:	0	1	2	3	4
28. Abrir mi casa a los extraños más a menudo.	0	1	2	3	4
29. Asumir el liderazgo de un grupo grande de cristianos.	0	1	2	3	4
30. Asumir la responsabilidad de ocuparme de un grupo de cristianos.	0	1	2	3	4

Coloca el valor seleccionado para cada declaración en la casilla que corresponda al número de la pregunta. Luego sume de manera lineal. Identifica cuáles fueron los dos dones que mostraron mayor puntaje.

1 =	6 =	11 =	16 =	21 =	26 =		EVANGELIZACIÓN
2 =	7 =	12 =	17 =	22 =	27 =		ENSEÑANZA
3 =	8 =	13 =	18 =	23 =	28 =		HOSPITALIDAD
4 =	9 =	14 =	19 =	24 =	29 =		LIDERAZGO
5 =	10 =	15 =	20 =	25 =	30 =		CUIDADO PASTORAL

DONES IDENTIFICADOS CON MAYOR PUNTAJE

1. _____

2. _____

Anexo # 3

Inventario de estilos de liderazgo

Por Aubrey Malphurs

Instrucciones

De las cuatro afirmaciones sobre estilo de liderazgo para cada pregunta (A a D), marque la afirmación que mejor lo describa y la que menos se ajuste a su estilo. Deberá tener una sola marca en cada columna para cada pregunta.

Ejemplo:

PREGUNTA 1	Más parecido a mí	Menos parecido a mí
A. Ama los desafíos.	(+2)	(-2)
B. Pasa tiempo con la gente.	(+2)	(-2)
C. Se comporta de manera predecible.	(+2)	(-2)
D. Establece altos parámetros para el ministerio.	(+2)	(-2)

Responda según lo que crea que vale para usted, no según lo que desearía o querría que fuera verdad. Al responder, le servirá pensar en su experiencia pasada y actual o en su contexto de ministerio en el futuro (iglesia, para-eclesiástico u otro ministerio). Déjese llevar por su primera impresión. Resístase a la tentación de analizar cada respuesta en detalle.

Sugerencias para responder

No se preocupe por el puntaje. No es una prueba que pasará o no, y no hay un estilo de liderazgo preferido. A veces es útil que alguien que lo conozca bien (cónyuge, padre, madre, compañero, buen amigo) responda por usted. Le servirá también para descubrir cual estilo de liderazgo es mejor para su iglesia o ministerio fuera de ella. Si este es el caso, podrá cambiar las opciones "Más parecido a mí" y "Menos parecido a mí" por "Más parecido a nosotros" y "Menos parecido a nosotros".

MULTIPLÍCATE

Sepa por qué está respondiendo:

- Para descubrir cuál es su estilo de liderazgo.
- Para ayudar a alguien a descubrir su estilo de liderazgo.
- Para descubrir el mejor estilo de liderazgo para el contexto de su ministerio (iglesia, para-eclesiástico u otro ministerio).

Cuestionario inventario de estilo de liderazgo

PREGUNTA 1	Más parecido a mí	Menos parecido a mí
A. Ama los desafíos.	(+2)	(-2)
B. Pasa tiempo con la gente.	(+2)	(-2)
C. Se comporta de manera predecible.	(+2)	(-2)
D. Establece altos parámetros para el ministerio.	(+2)	(-2)

PREGUNTA 2	Más parecido a mí	Menos parecido a mí
A. Se concentra en los detalles.	(+2)	(-2)
B. Le gusta comenzar cosas.	(+2)	(-2)
C. Motiva a la gente.	(+2)	(-2)
D. Tiene paciencia con la gente.	(+2)	(-2)

PREGUNTA 3	Más parecido a mí	Menos parecido a mí
A. Formar amistades profundas.	(+2)	(-2)
B. Desea que la gente haga un trabajo de calidad.	(+2)	(-2)
C. Toma decisiones sin titubear.	(+2)	(-2)
D. Tiene muchos amigos.	(+2)	(-2)

PREGUNTA 4	Más parecido a mí	Menos parecido a mí
A. Se comunica con estusiasmo.	(+2)	(-2)
B. Disfruta de ayudar a los demás.	(+2)	(-2)
C. Piensa de manera analítica.	(+2)	(-2)
D. Disfruta del *statu quo*.	(+2)	(-2)

PREGUNTA 5	Más parecido a mí	Menos parecido a mí
A. Lidera con autoridad.	(+2)	(-2)
B. Muestra optimismo en el ministerio.	(+2)	(-2)
C. Ayuda a que los demás se sientan cómodos en el grupo.	(+2)	(-2)
D. Insiste en la precisión de los datos.	(+2)	(-2)

PREGUNTA 6	Más parecido a mí	Menos parecido a mí
A. Piensa sistemáticamente.	(+2)	(-2)
B. Establece metas ambiciosas.	(+2)	(-2)
C. Trata a los demás con justicia.	(+2)	(-2)
D. Prefiere ministrar en equipo.	(+2)	(-2)

PREGUNTA 7	Más parecido a mí	Menos parecido a mí
A. Prefiere una rutina predecible.	(+2)	(-2)
B. Evalúa bien los programas.	(+2)	(-2)
C. Prefiere respuestas directas a las preguntas.	(+2)	(-2)
D. Le gusta ser anfitrión(a) y entretener.	(+2)	(-2)

PREGUNTA 8	Más parecido a mí	Menos parecido a mí
A. Se expresa con libertad.	(+2)	(-2)
B. Se deleita con el aprecio sincero.	(+2)	(-2)
C. Valora la calidad y la precisión.	(+2)	(-2)
D. Busca actividades nuevas y variadas.	(+2)	(-2)

PREGUNTA 9	Más parecido a mí	Menos parecido a mí
A. Sabe resolver problemas.	(+2)	(-2)
B. Le gusta "pensar en voz alta".	(+2)	(-2)
C. Valora el cumplimiento de promesas.	(+2)	(-2)
D. Disfruta de las oportunidades para mostrar sus destrezas.	(+2)	(-2)

PREGUNTA 10	Más parecido a mí	Menos parecido a mí
A. Quiere saber qué se espera.	(+2)	(-2)
B. Busca variedad en el ministerio.	(+2)	(-2)
C. Disfruta de inspirar a la gente para hacer grandes cosas.	(+2)	(-2)
D. Sabe escuchar a los demás.	(+2)	(-2)

PREGUNTA 11	Más parecido a mí	Menos parecido a mí
A. Demuestra gran paciencia con las personas.	(+2)	(-2)
B. Le molesta el bajo rendimiento.	(+2)	(-2)
C. Deja en claro lo que piensa.	(+2)	(-2)
D. Espera lo bueno de los demás.	(+2)	(-2)

PREGUNTA 12	Más parecido a mí	Menos parecido a mí
A. Presenta las ideas de manera convincente.	(+2)	(-2)
B. Muestra lealtad a sus superiores.	(+2)	(-2)
C. Muestra gran disciplina en el trabajo.	(+2)	(-2)
D. Cree en los logros individuales.	(+2)	(-2)

PREGUNTA 13	Más parecido a mí	Menos parecido a mí
A. Es directo con la gente.	(+2)	(-2)
B. Disfruta de estar con la gente.	(+2)	(-2)
C. Su influencia tranquiliza.	(+2)	(-2)
D. Se relaciona intelectualmente.	(+2)	(-2)

PREGUNTA 14	Más parecido a mí	Menos parecido a mí
A. Pregunta "por qué".	(+2)	(-2)
B. Le gusta obtener resultados.	(+2)	(-2)
C. Es comunicador convincente.	(+2)	(-2)
D. Muestra gran empatía por los demás.	(+2)	(-2)

Anexo # 3

PREGUNTA 15	Más parecido a mí	Menos parecido a mí
A. Ayuda a los miembros del equipo a llevarse bien.	(+2)	(-2)
B. Alienta a los demás a pensar profundamente.	(+2)	(-2)
C. Muestra resistencia a la búsqueda de metas.	(+2)	(-2)
D. Se relaciona bien emocionalmente.	(+2)	(-2)

PREGUNTA 16	Más parecido a mí	Menos parecido a mí
A. Le gusta expresarse.	(+2)	(-2)
B. Coopera bien para cumplir tareas.	(+2)	(-2)
C. Sabe resolver problemas.	(+2)	(-2)
D. Toma la iniciativa con la gente.	(+2)	(-2)

PREGUNTA 17	Más parecido a mí	Menos parecido a mí
A. Lidera con fuerza.	(+2)	(-2)
B. Le gusta interactuar con la gente.	(+2)	(-2)
C. Ayuda a los demás a sentirse cómodos.	(+2)	(-2)
D. Sigue instrucciones con atención.	(+2)	(-2)

PREGUNTA 18	Más parecido a mí	Menos parecido a mí
A. Sigue respuestas y explicaciones.	(+2)	(-2)
B. Prefiere la experiencia práctica.	(+2)	(-2)
C. Se relaciona bien con los demás.	(+2)	(-2)
D. Disfruta sirviendo a los demás.	(+2)	(-2)

PREGUNTA 19	Más parecido a mí	Menos parecido a mí
A. Apoya las decisiones de grupo.	(+2)	(-2)
B. Se esfuerza por mejorar situaciones.	(+2)	(-2)
C. Busca la posición de líder con naturalidad.	(+2)	(-2)
D. Muestra capacidad para hablar espontáneamente.	(+2)	(-2)

MULTIPLÍCATE

PREGUNTA 20	Más parecido a mí	Menos parecido a mí
A. Alienta las ideas de los demás.	(+2)	(-2)
B. Le importa cómo afectan los cambios a los demás.	(+2)	(-2)
C. Brinda muchos datos y hechos.	(+2)	(-2)
D. Establece sus convicciones con firmeza.	(+2)	(-2)

PREGUNTA 21	Más parecido a mí	Menos parecido a mí
A. Confronta directamente a los que disienten.	(+2)	(-2)
B. Cultiva el compromiso en los demás.	(+2)	(-2)
C. Se esfuerza con diligencia para llevarse bien.	(+2)	(-2)
D. Pone énfasis en trabajar a conciencia.	(+2)	(-2)

PREGUNTA 22	Más parecido a mí	Menos parecido a mí
A. Centra la atención en los detalles.	(+2)	(-2)
B. Busca alto rendimiento personal.	(+2)	(-2)
C. Estimula a quienes lo rodean.	(+2)	(-2)
D. Es fácil trabajar con él/ella.	(+2)	(-2)

PREGUNTA 23	Más parecido a mí	Menos parecido a mí
A. Evita el conflicto.	(+2)	(-2)
B. Valora las reglas.	(+2)	(-2)
C. Vence a la oposición.	(+2)	(-2)
D. Es naturalmente influyente.	(+2)	(-2)

PREGUNTA 24	Más parecido a mí	Menos parecido a mí
A. Genera mucho entusiasmo.	(+2)	(-2)
B. Muestra sensibilidad hacia los demás.	(+2)	(-2)
C. Prefiere indagar en profundidad.	(+2)	(-2)
D. Le gustan las tareas difíciles.	(+2)	(-2)

PREGUNTA 25	Más parecido a mí	Menos parecido a mí
A. Se hace cargo instintivamente.	(+2)	(-2)
B. Trabaja mejor por medio de los demás.	(+2)	(-2)
C. Muestra interés por los demás.	(+2)	(-2)
D. Aporta pericia en un área en particular.	(+2)	(-2)

Instrucciones para calcular su puntaje

1. Traslade el puntaje que corresponda a cada afirmación al formulario de Estilo de Liderazgo. Por ejemplo: si en la pregunta 1, marcó la opción A como "Menos parecido a mí", transfiera el valor (-2) a la casilla en blanco que indica A para la pregunta número 1. Del mismo modo, copie el valor (+2) para la afirmación para "Más parecido a mí" en la casilla correspondiente.

2. Cuando haya copiado todos los puntajes, sume las columnas y anote el total en la fila de totales.

3. Observe que, al sumar los totales de las cuatro columnas, el resultado debe ser cero. Si no es así, habrá copiado mal los puntajes o sumó mal las cifras. Por favor, revise.

Muestra de preguntas

PREGUNTA 1	Más parecido a mí	Menos parecido a mí
A. Ama los desafíos.	(+2)	(✖)
B. Pasa tiempo con la gente.	(+2)	(-2)
C. Se comporta de manera predecible.	(✖)	(-2)
D. Establece altos parámetros para el ministerio.	(+2)	(-2)

PREGUNTA 2	Más parecido a mí	Menos parecido a mí
A. Se concentra en los detalles.	(+2)	(-2)
B. Le gusta comenzar cosas.	(+2)	(✖)
C. Motiva a la gente.	(+2)	(-2)
D. Tiene paciencia con la gente.	(✖)	(-2)

MULTIPLÍCATE

Ejemplo de cálculo en Hoja de puntaje

PREGUNTA	Director	Inspirador	Diplomático	Analítico	TOTAL
1	A. -2	B.	C. +2	D.	0
2	A.	B. -2	C.	D. +2	0
TOTAL	-2	-2	+2	+2	0

Hoja de puntaje

PREGUNTA	Director	Inspirador	Diplomático	Analítico	TOTAL
1	A.	B.	C.	D.	
2	B.	C.	D.	A.	
3	C.	D.	A.	B.	
4	D.	A.	B.	C.	
5	A.	B.	C.	D.	
6	B.	C.	D.	A.	
7	C.	D.	A.	B.	
8	D.	A.	B.	C.	
9	A.	B.	C.	D.	
10	B.	C.	D.	A.	
11	C.	D.	A.	B.	
12	D.	A.	B.	C.	
13	A.	B.	C.	D.	
14	B.	C.	D.	A.	
15	C.	D.	A.	B.	
16	D.	A.	B.	C.	
17	A.	B.	C.	D.	
18	B.	C.	D.	A.	
19	C.	D.	A.	B.	
20	D.	A.	B.	C.	
21	A.	B.	C.	D.	
22	B.	C.	D.	A.	
23	C.	D.	A.	B.	
24	D.	A.	B.	C.	
25	A.	B.	C.	D.	
TOTAL					

Anexo # 3

Identificación del estilo de liderazgo

Responda las siguientes preguntas para identificar su estilo de liderazgo.

1. ¿Cuál es su estilo predominante o primario (el que tiene el puntaje más alto)?

   _____

2. ¿Cuál es su estilo secundario?

   _____

3. ¿Tiene alguno de los otros dos estilos un impacto notable en usted? Si es así, ¿cuál?

   _____

4. Según esta información, marque con un círculo su estilo de liderazgo en la lista que hay a continuación (será la combinación de sus estilos primario y secundario).

   Director
   - director-inspirador
   - director-diplomático
   - director-analítico

   Inspirador
   - inspirador-director
   - inspirador-diplomático
   - inspirador-analítico

   Diplomático
   - diplomático-director
   - diplomático-inspirador
   - diplomático-analítico

Analítico

- analítico-director
- analítico-inspirador
- analítico-diplomático

Complete lo siguiente:

Mi estilo de liderazgo es:

_____

Nota: si hay un tercer estilo con notable impacto, quizá quiera añadirlo entre paréntesis. Por ejemplo: Director-inspirador (analítico).*

---

*. Aubrey Malphurs, *Maximice su efectividad* (Buenos Aires: Peniel, 2008), pp. 243-252.